劉福春・李怡 主編

民國文學珍稀文獻集成

第一輯

新詩舊集影印叢編　第 1 冊

【《新詩集》卷】

新詩集

（第一編）

1・上海：新詩社出版部 1920 年 1 月版

2・上海：新詩社出版部 1920 年 9 月版

新詩社編輯部（編）

花木蘭文化出版社

國家圖書館出版品預行編目資料

新詩集（第一編）／新詩社編輯部（編）-- 初版 -- 新北市：花木蘭文化出版社，2016〔民 105〕

122 面／122 面；19×26 公分

（民國文學珍稀文獻集成・第一輯・新詩舊集影印叢編 第 1 冊）

ISBN：978-986-404-622-5（套書精裝）

831.8 105002931

ISBN-978-986-404-622-5

民國文學珍稀文獻集成・第一輯・新詩舊集影印叢編（1-50 冊）

第 1 冊

新詩集（第一編）

編 者 新詩社編輯部
主 編 劉福春、李怡
企 劃 首都師範大學中國詩歌研究中心
北京師範大學民國歷史文化與文學研究中心
（臺灣）政治大學民國歷史文化與文學研究中心
總 編 輯 杜潔祥
副總編輯 楊嘉樂
編 輯 許郁翎
出 版 花木蘭文化出版社
社 長 高小娟
聯絡地址 235 新北市中和區中安街七二號十三樓
電話：02-2923-1455／傳眞：02-2923-1452
網 址 http://www.huamulan.tw 信箱 hml 810518@gmail.com
印 刷 普羅文化出版廣告事業
初 版 2016 年 4 月
定 價 第一輯 1-50 冊（精裝）新台幣 120,000 元

本輯叢書為教育部省部共建人文社科重點研究基地項目
「民國時期詩歌教育資料的整理與研究」
階段性成果（14JJD750007）

《民國文學珍稀文獻集成》前言

中國文學的「千年之變」出現在清末民初，因爲文化的交融，因爲國家體制的變革，更因爲近代知識分子的艱苦求索，文學的樣式、構成和格局都發生了巨大的變化，儘管有如錢基博所說某些前朝遺民不認「民國」，在無奈中誕生了文學的「現代」之名，但是事實上，視「民國乃敵國」的文化人畢竟稀少，大多數的「現代」作家還是願意將自己的夢想寄託在這樣一個「人民之國」——民國，並且在如此的「新中國」觀察中積纍自己的「現代」經驗。中國的「現代經驗」孕育於「民國」，或者說「民國」的經驗就是中國人眞正的「現代」經驗。

「民國」與「現代」的深度糾纏爲我們今天的文學史打開了一片嶄新的天地，這就是「民國文學」研究在新世紀出場的歷史淵源，回到民國歷史的新的研究有助於破除多年來霧霾般揮之不去的「現代性」焦慮，在中國自身的歷史情景中重新發現自己。

當然，這一新的學術動向也只是近10年的事情，在「中國現代文學」學科更爲長久的歷程中，「現代」主要還是一種被政治意識形態所塗抹的事物，與黑暗的民國——舊社會無甚關聯。於是，問題產生了：一個袪除了國家歷史情態的「現代文學史」究竟是怎樣的歷史呢？或者說，沒有了「民國」故事的中國現代文學能夠由什麼構成呢？

百年來的中國文學發展史常常被描繪爲一部你死我活的「階級鬥爭史」，是「新中國」戰勝「民國」的歷史，也是「黨的」、「人民的」、「正義」的力量不斷戰勝「封建的」、「反動的」、「腐朽的」力量的歷史，這樣的政治鬥爭最終演化成了文學史描寫的「主流」、「支流」和「逆流」，當然，我們能夠讀到的主要是「主流」的史料，能夠理所當然進入討論話題的也屬於「主流文學現象」。殊不知，「新中國」與「民國」原本不是對立的意義，自清末以降，如何建構起一個「人民之國」的「新中國」就是幾代民族先賢與新知識階層的強烈願望，當「新中國」的理想被我們從「民國」的中驅除，這一段曾經的歷史也就被大大簡化了。而且即便是官方意識形態認可的「主流」，在不同的歷史時期也存在著定義的差別，比如在 1950 年代，一切「革命的」、「現實主義的」、「左翼」的都稱作主流，但是當「文革」降臨，隨著文藝界領導人周揚的倒臺，1930 年代的左翼卻不再「主流」；到了新時期，隨著「思想解放」運動的開展，一些研究者才開始小心翼翼地發掘某些「支流」，進而是作爲「批判審視」之用的「逆流」，文學史的面貌爲之擴大。到今天，不僅左翼文學之外的自由主義文學聲名顯赫，當年作爲「新文學」批判對象的「鴛鴦蝴蝶派文學」資料也得到了空前的整理和勘探，當然，還包括國民黨右翼的文學思想與文學創作。

同樣的情況我們也可以在近年來的抗戰文學研究熱與淪陷區文學研究熱中看到。抗戰文學研究與淪陷區文學研究在近年來都先後爲我們貢獻了許多的珍貴史料，這裏同樣是一個重新認識「抗戰」與「淪陷」的精神意義的問題。僅以抗戰爲例，傳統文學史研究是將抗戰文學的中心與主流定位於抗戰救亡，這樣，出現在當時的許多豐富而複雜的文學現象就只有備受冷落了。長期以來，我們重視的就僅僅是抗戰歌謠、歷史劇等等，描述的中心也是重慶的「進步作家」，西南聯大位居昆明，爲抗戰「邊緣」，自然就不受重視，即便是抗戰中心重慶內部，也僅僅以「文協」或接近中国共產黨的作家爲中心。近年來，眾所週知的是西南聯大的文學活動引起了相當的關注，而重慶文壇也不僅僅只有抗戰歷史劇，其「邊緣」如北碚復旦大學等的文學活動也開始成爲碩士甚至博士論文的選題，這無疑得益於人們在觀念上的重大變化：從「一切爲了抗戰」到「抗戰爲了人」的重大變化。文學作爲關注人類精神生活的重要方式，最有價值的恰恰是它能夠記錄和展示人在不同生存境遇中的心靈變化。

由此看來，「現代」與「民國」的複雜糾葛已經深深地影響了文學文獻的意義，包括它的保存、整理和進一步的研究，如何在「中國現代文學」的框架中正視「民國」的豐富與複雜，是這一段文學文獻能否得以完整呈現的關鍵。

百年來中國文學的文獻史料整理保存起步很早，且逐漸形成了自己的傳統。1935 年良友圖書公司推出的《中國新文學大系》列有「史料卷」，盡可能收錄各種期刊雜誌和文學流派的創立信息及豐富的作家小傳，到上海文藝出版社 2009 年推出最新的《中國新文學大系 1976～2000》也大體繼續沿襲這一傳統，百年中國新文學的作家、作品及期刊雜誌的主要信息已經獲得了盡可能詳盡的展示。自 1980 年代開始，各種規模的現代文學史料整理工作陸續展開，爲文學史的研究奠定了堅實的基礎。但是，僅僅有「新文學」的「現代」並不是完整的現代，而除去了「民國」印記的「現代」也不是眞實的「現代」。在「民國文學」的框架中，可以被我們發掘、重視的文學文獻依然不少。

這就是這一套「民國文學珍稀文獻集成」的緣起。

我們希望這樣一套「集成」能夠補充當今各種「中國現代文學史料」的不足，爲新的研究提供更多的歷史參考。

「集成」有一個比較龐大的構想：通過十數年的努力，盡力搜羅和呈現曾經爲我們湮沒或忽視的文學文獻，分作不同的序列陸續出版，計有「新詩舊集」序列、「小說舊集」序列、「戲劇文學舊集」序列、「散文舊集序列」、「文學思潮與流派原始文獻序列」、「散軼期刊系列」、「散軼報紙文學副刊序列」等等，每一序列又大致依照時間順序，逐漸整理出版。顯然，這並不是一件容易的工作，期待能夠獲得更多的學界同仁的關心、支持，期待更多的民國史料的收藏愛好者爲我們提供線索，貢獻意見。

「集成」的策劃、編輯得到了北京師範大學民國歷史文化與文學研究中心、山東大學威海分校文學院、臺灣政治大學民國歷史文化與文學研究中心、首都師範大學中國詩歌研究中心等單位的大力支持和幫忙，在此特致謝忱。

李怡　劉福春

二〇一六年元月於北京霧霾中

民國文學珍稀文獻集成・第 1 輯

新詩舊集影印叢編(1–50 冊)書目

第 1 冊	新詩社編輯部(編)		
		新詩集(第 1 編)	1・上海:新詩社出版部 1920 年 1 月初版
			2・上海:新詩社出版部 1920 年 9 月再版
第 2 冊	胡適	嘗試集	上海:亞東圖書館 1920 年 3 月初版
第 3 冊	胡適	嘗試集	上海:亞東圖書館 1920 年 9 月再版
第 4 冊	胡適	嘗試集	上海:亞東圖書館 1922 年 10 月增訂四版
第 5 冊	葉伯和	詩歌集	1922 年 5 月 1 日版
	李寶樑	紅薔薇	上海:新文書社 1922 年 7 月版
第 6 冊	許德鄰(編)	分類白話詩選(一名:新詩五百首)	
			上海:崇文書局 1920 年 8 月版
第 7 冊	胡懷琛	大江集	上海:國家圖書館 1921 年 3 月版
	胡懷琛	胡懷琛詩歌叢稿	上海:商務印書館 1926 年 7 月版
第 8 冊	郭沫若	女神	上海:泰東圖書局 1921 年 8 月版
第 9 冊	郭沫若	星空	上海:泰東圖書局 1923 年 10 月版
第 10 冊	郭沫若	瓶	上海:創造社出版部 1927 年 4 月版
	郭沫若	前茅	上海:創造社出版部 1928 年 2 月版
	郭沫若	恢復	上海:創造社出版部 1928 年 3 月版
第 11 冊	郭沫若	沫若詩集	上海:創造社出版部 1928 年 6 月版
第 12 冊	郭沫若	戰聲	戰時出版社 1938 年 1 月版
	郭沫若	蜩螗集	上海:群益出版社 1948 年 9 月版

第 13 冊	康白情	草兒（上）	上海：亞東圖書館 1922 年 3 月版
第 14 冊	康白情	草兒（下）	上海：亞東圖書館 1922 年 3 月版
第 15 冊	康白情（署名：康洪章）		
		草兒在前集	上海：亞東圖書館 1924 年 7 月三版修正版
第 16 冊	康白情（署名：康洪章）		
		草兒在前集	上海：亞東圖書館 1929 年 4 月四版補遺版
第 17 冊	俞平伯	冬夜	上海：亞東圖書館 1922 年 3 月初版
第 18 冊	俞平伯	冬夜	上海：亞東圖書館 1923 年 5 月再版
第 19 冊	俞平伯	西還	上海：亞東圖書館 1924 年 4 月版
第 20 冊	俞平伯	憶	北京：樸社 1925 年 12 月版
第 21 冊	漠華 等	湖畔	杭州：湖畔詩社 1922 年 4 月版
	雪峰 等	春的歌集	杭州：湖畔詩社 1923 年 12 月版
第 22 冊	朱自清等	雪朝	上海：商務印書館 1922 年 6 月版
第 23 冊	汪靜之	蕙的風	上海：亞東圖書館 1922 年 8 月版
第 24 冊	汪靜之	寂寞的國	上海：開明書店 1929 年 3 月版
第 25 冊	徐玉諾	將來之花園	上海：商務印書館 1922 年 8 月版
第 26 冊	北社（編）	新詩年選（1919 年）	上海：亞東圖書館 1922 年 8 月版
第 27 冊	朱采真	真結	杭州：浙江書局 1922 年 10 月版
第 28 冊	冰心	繁星	上海：商務印書館 1923 年 1 月版
	冰心	春水	1・北京：新潮社 1923 年 5 月初版
			2・上海：北新書局 1925 年 8 月再版
第 29 冊	冰心	冰心詩集	上海：北新書局 1932 年 8 月版
第 30 冊	黃俊	戀中心影	上海：新文化書社 1923 年 1 月版
	汪劍餘	菊園	上海：新文化書社 1926 年 1 月版
第 31 冊	張近芬（CF 女士）著譯	浪花	陽光社 1923 年 5 月初版
第 32 冊	張近芬（CF 女士）著譯	浪花	上海：北新書局 1927 年 7 月三版
第 33 冊	查猛濟（編）	抒情小詩集	上海：古今圖書店 1925 年版
第 34 冊	綠波社社員	春雲	天津：新教育書社 1923 年 7 月版
第 35 冊	陸志韋	渡河	上海：亞東圖書館 1923 年 7 月版

第36冊	陸志韋	渡河後集	1932年版
	陸志韋	申酉小唱	1933年版
第37冊	王秋心、王環心	海上棠棣	上海：新文化書社1923年7月版
第38冊	聞一多	紅燭	上海：泰東圖書局1923年9月版
	聞一多	死水	上海：新月書店1929年4月版
第39冊	謝采江	野火	保定：三塊協社1923年10月版
	謝采江	夢痕	北京：明報社1926年1月版
第40冊	謝采江	荒山野唱	北京：海音書局1926年11月版
	謝采江	不快意之歌	北京：海音書局1928年12月版
第41冊	宗白華	流雲	上海：亞東圖書館1923年12月版
	宗白華	流雲小詩	上海：正風出版社1947年11月版
	張篷舟	波瀾	1923年自印版
	張篷舟	消失了的情緒	上海：上海文華美術圖書印刷公司1933年版
第42冊	劉大白	舊夢（上）	上海：商務印書館1924年3月版
第43冊	劉大白	舊夢（下）	上海：商務印書館1924年3月版
第44冊	劉大白	郵吻	上海：開明書店1926年12月版
	劉大白	再造	上海：開明書店1929年9月版
第45冊	劉大白	丁寧	上海：開明書店1929年11月版
	劉大白	賣布謠	上海：開明書店1929年11月版
第46冊	劉大白	秋之淚	上海：開明書店1930年1月版
第47冊	曼尼	斜坡	上海：新文化書社1934年4月版
	歐陽蘭	夜鶯	薔薇社1924年5月版
第48冊	陳勣	愛的果	上海：時還書局1924年5月版
	沙刹	水上	1924年6月版
第49冊	卜弋雲	一片	上海：梁溪圖書館1924年7月版
第50冊	陳志莘	茅屋	上海：新文化書社1924年8月版

新詩集
（第一編）

新詩社編輯部 編

新詩社出版部（上海）一九二〇年一月初版。原書二十五開。

新詩集

弟一編

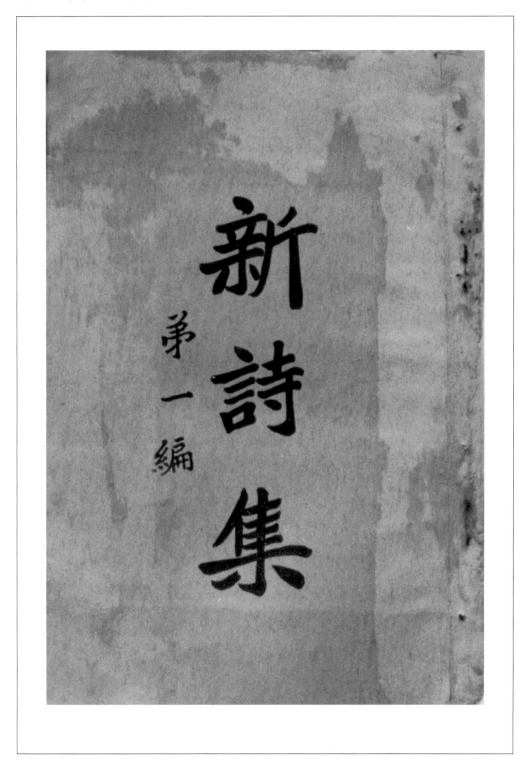

介紹定期出版物

月刊

新青年　上海羣益書社
新潮　北京大學出版部
曙光　北京西河沿二百二十號
少年中國　北京東華門宗人府東巷內蓬廬
工學　北京高等師範工學會
黑潮　上海霞飛路寶康里太平洋學社

半月刊

新婦女　上海西門外方斜路一八八號
平民導報　上海第二師範新學社
少年　北京琉璃廠附屬中學校
社會新聲　武昌中華大學
新聲　武昌巡道嶺八十三號

旬刊

新社會　北京南弓匠營二號社會實進會

週刊

新生活　總發行所上海亞東圖書館
星期評論　上海法界白爾路三益里十九號
平民教育　北京高等師範
女界鐘　長沙周南女學
新空氣　成都商業場內支街大豐隆號
南洋　上海徐家匯南洋公學

日刊

時事新報　上海望平街
民國日報　上海棋盤街
晨報　北京宣武門外丞相胡同中間路西門牌四號
新時報　上海望平街

吾們爲什麼要印新詩集?

新詩底價值，有幾層可以包括他；—有幾層老詩裏當然也有的—就是：

(1)合乎自然的音節，沒有規律的束縛；

(2)描寫自然界和社會上各種眞實的現象；

(3)發表各個人正確的思想，沒有「因詞害意」的弊病；

(4)表抒各個人優美的情感。

吾們爲什麼要印新詩集?有四種理由，可以囘答這個問題：

第一，自從胡適之先生提倡「新詩」以來，一天發達一天；現在幾乎通行全國了！不過大家還有些懷疑；以爲他是粗俗，音節也不講，總比不上老詩底俊逸，清新，鏗鏘，……吾們現在編印這新詩集，一方面就是彙集幾年來大家試驗底成績；一方面使懷疑派知道—新詩雖是只有了二三年—各處做底很多，也很有精彩，將來逐漸研究，一定還要進步！從此以後，他們底懷疑，便可「冰消瓦解」了！

第二，俞平伯先生說：『造房子的有圖樣，書圖畫的有範本，做詩的自然也要尋個老師……』這話是很對的。我們還記得從前學做老詩底時候，什麼千家詩唐詩三百首……都要念熟，纔能試做現在各處喜歡研究新詩底很多，但是他們很不容易找一個老師，去和他們研究。為什麼呢？因為他們有經濟上，交通上，時間上種種關係，往往不能夠多看新出版物；那新詩自然接觸得很少了！現在吾們索性把各種書報中底新詩彙印出來，那嗎他們出了極廉的價便可得到許多很有價值的新詩。老師找到了，可常常去研究他，摩練他；吾們底同志愈多，新詩底進步一定愈快了！

第三，吾們因為要研究新詩，所以無論何種新出版物都買來看；但是書報很多，翻閱起來很不便利；後來想出一個法子，就是把各種書報中間底新詩，鈔錄下來。用歸納的方法，分類編列，翻閱起來，便利得多了！吾們『以己之心，度人之心』想來大家也有這種情形，所以編印底緣故，是要使大家翻閱便利。

第四，吾們研究新詩，如果要他進步，必定先要用一番工夫批評；那已經做好的詩。批評要從比較入手。現在把他分類印好，吾們比較起來，也容易一些，那嗎批評起來，更覺高興一些！這新詩集第一編出版以後，讀者諸君有什麼批評，望隨時寄到本社，等到第二編出版底時候，吾們可以披露出來再請大家討論。

吾們把詩分做四類：

(1)寫實類　這一類詩，都是描摹社會上種種現象。

(2)寫景類　這一類詩，都是描摹自然界種種景色。

(3)寫意類　這一類詩，都是含蓄很正確，很高尚的思想。

(4)寫情類　這一類詩，都是表抒那很優美很純潔的情感。

在新詩底後面，附錄胡適之先生做的『我爲什麼要做白話詩？』這一篇在新青年六・五和解放與改造一・一裏面都發表過的；再有星期評論紀念號裏面登過的『談新詩』也是適之先生做的；再有劉半農先生在新青年三・五上發表的『詩的精神上之革新』一篇。因爲這三篇和新詩很有關係，所以都把他印在後面，給大家仔細看看！

現在做有韵底新詩，還沒有一種韻書，所以吾們根據了國音，編纂有韵詩底押韵法，在第二編可以發表。

吾們印新詩集的緣故，和那編纂底方法，上面已經說過了。現在再寫一句希望的話，做個結論：

『望大家要努力去做新詩，

新文學萬歲，

新詩萬歲！』

新詩集第一編目次

寫實類

新詩集目錄

新詩集目錄

新詩集目錄

附錄

新詩集

寫實類

人力車夫 新青年四、一、 胡適

『車子！車子！』
車來如飛。
客看車夫，忽然中心酸悲。
客問車夫，『你今年幾歲？拉車拉了多少時？』
車夫答客，『今年十六，拉過三年車了，你老別多疑。』
客告車夫，『你年紀太小，我不坐你車。我坐你車，我心慘悽。』
車夫告客，『我半日沒有生意，我又寒又飢，
你老的好心腸，飽不了我的餓肚皮。
我年紀小拉車，警察還不管，你老又是誰？』
客人點頭上車，說『拉到內務部西！』

賣蘿蔔人 新青年四、五、 劉半農

一個賣蘿蔔人，──狠窮苦的，──住在一座破廟裏。
一天，這破廟要標賣了，便來了個警察，說──
『你快搬走！這地方可不是你久住的。』
『是！是！』
他口中應着，心中却想──
『叫我搬到那裏去！』
明天，警察又來催他動身。
他瞠着眼看，低着頭想，撒撒手，踏踏脚，却沒說──
『我不搬。』
警察忽然發威，將他攆出門外。
又把他的竈也搗了，一只砂鍋，碎作八九片！
他的破席，破被，和蘿蔔担，都撒在路上，
幾個紅蘿蔔，滾在溝裏，變成了黑色！
路旁的孩子們，都停了游戲奔來。

新詩集 寫實類

他們也瞠着眼看低着頭想撒撒手踏踏脚，却不做聲！

警察去了，一個七歲的孩子說，

『可怕……』

一個十歲的答道，

『我們要當心，別做賣蘿蔔的！』

七歲的孩子不懂；

他瞠着眼看低着頭想，却沒撒手，沒踏脚！

鐵匠 新生活三、

寒星

一

叮噹！ 叮噹！

清脆的打鐵聲，

激動夜間沉默的空氣。

小門裏時時閃出紅光，

愈顯得外間黑漆漆地。

二

我從門前經過，

看見門裏的鐵匠。

叮噹！ 叮噹！

他鎚子一下一上。

砧上的鐵，

閃作血也似的光

照見他額上淋淋的汗，

和他寬闊的(是裸着的)胸膛。

三

我走得遠了，

還隱隱的聽見

叮噹！ 叮噹！

朋友！

你該留心聽着這聲音，

他永遠在沉沉的自然界中激蕩！

你若回頭過去，

還可以看見幾點火花
飛射在漆黑的地上！

學徒苦 新青年四、四、 劉半農

學徒苦！學徒進店，爲學行賈。主翁不授書算，但曰「孺子當習勤苦！」朝命擔地開門，暮命臥地守戶；暇當執炊，兼鋤園圃！主婦有兒，曰「孺子爲我抱撫！」呱呱兒啼，主婦震怒：拍案頓足，辱及學徒父母！自晨至午，東買酒漿，西買青菜荳腐，一日三餐，學徒侍食進脯，客來奉茶：主翁倦時，命開烟鋪！復命前門應主顧，後門洗缶滌壺！奔走終日，不敢言苦！足底鞋穿，夜深含淚自補！主婦復惜油火，申申咒詛！食則殘羹不飽；夏則無衣，冬衣敗絮！臘月主人食糕，學徒操持臼杵！夏日主人剖瓜盛涼，學徒竈下燒煮！學徒雖無過，「塲頭」下如雨！學徒病，叱曰「孺子敢貪惰？作詐語！」清清河流，鑑別髮縷。學徒淘米河邊，照見面色如土！學徒自念——「生我者，亦父母！」（塲頭屈食指以叩其腦也或作栗子）

女丐 每週評論三十、 辛白

一個三十來歲的婦人，跟著我的車子跑，
口中喊道：「老爺！給我一個大！可憐！可憐！」
他一手拿著一枝香烟，一手伸着要錢，
兩腿跑個不歇，跑幾步，叫一聲老爺，吸一口烟。

相隔一層紙 新青年四、一、劉半農

一、屋子裏攏着爐火，
老爺分付開窗買水菓，
說「天氣不冷火太熱，
別任他烤壞了我。」

二、屋子外躺着一個叫化子，

新詩集 寫實類

咬緊了牙齒，對着北風呼「要死」！
可憐屋外與屋裏，
相隔只有一層薄紙！

「雪」七年十二月二十日、新潮一、二、

羅家倫

往日獨登樓，
但見慘淡寒煙，滿城昏黑。
如何隔夜推窗，
變得這般淸白！
難道是「大老」愛銀子的精誠，
感動「老天」把世界變成這樣顏色。
還是「老天」不忍地獄沉沉，
也教他有片時的改革。
遙想暢觀樓中，陶然亭下，
有人帶酒披裘稱心賞雪；

四

那知道地安門前，皇城根底，
還有人穿著單衣，按著肚皮震著牙齒，斷斷續續的叫：
「了……了……不得！」

鄉下人 民國日報

沈玄廬

秋風起，娘兒要添衣，哥兒肚裏飢。
忍饑挑了一擔菜，
黑早挑向街頭賣。
賣菜本來不犯罪。
那裏知道要完稅？
收稅作何用？
罰則翻比菜價貴。
巡丁虎，司事牛，賣菜鄉人是只狗，那裏容得你
開口，不如撇却擔兒走！
未到十步便回首。

頻頻回頭看，脚步漸漸慢！
脚步雖慢不敢停，只想强盜發善心，
哥兒眞是鄉下人。

忙煞！苦煞！快活煞！ 星期評論紀念號

沈玄廬

（一）

無望！無望！！今年收成荒！我只吃糠，他們米滿倉。

（二）

去年如何？年成大熟。租米完過，只夠吃粥。

（三）

採桑養蠶，忍饑耐寒。紡紗織布，一條窮袴。

（四）

千頭萬緒，一手整理。翻新花樣，他人身上衣。

（五）

千門萬戶，一手造成。造成之後，不許我進門。

（六）

饑不如寒，寒不如饑；你埋怨我，我埋怨你。

（七）

勞苦！勞苦！！忙煞急煞。苦的苦煞！快活的快活煞。

背槍的人 新潮一、五、

仲密

早起出門走過西珠市，
行人稀少店鋪多還關閉。
只有一個背槍的人，
站在大馬路裏。
我本願人「賣劍買牛賣刀買犢」，
怕見惡很很的兵器。
但他常站在守望面前，
指點道路維持秩序；

只做大家公共的事。
那背槍的人，
也是我們的朋友，我們的兄弟。

兩個掃雪的人 新青年六、三、

周作人

陰沉沉的天氣，
香粉一般白雪，下的漫天遍地。
天安門外白茫茫的馬路上，全沒有車馬蹤跡，
只有兩個人在那里掃雪。
一面儘掃，一面儘下：
掃淨了東邊，又下滿了西邊；
掃開了高地，又填平了窪地。
粗麻布的外套上已經積了一層雪，
他們兩人還只是掃個不歇。
雪愈下愈大了；

上下左右，都是滾滾的香粉一般白雪。
在這中間，彷彿白浪中浮著兩個螞蟻，
他們兩人還只是掃個不歇。
祝福你掃雪的人！
我從清早起，在雪地裏行走，不得不謝謝你。

兩種聲音 新生活十、

子壯

我住在隆福寺街上，天天聽見兩種聲音。
街前是殺猪，街後是什麼兵營。
天明了，兩種聲音起來了：
一種哀鳴的聲音裏頭，不知道天天要送掉多少性
命！
那種瀏亮的號聲，我更是怕聽！
因爲這幾年來的荒亂，都是這種嗚都都的號聲造
成！
唉！何日何時，這兩種聲音纔能漸漸的減ゝ；

女工之歌（星期評論二〇、） 康白情

一

我沒穿的，
　工資可以買穿。
我沒吃的，
　工資可以買飯。
我沒住的，
　工資便是房錢。
我再沒氣力，
　他們也給我二角一天。
　　他們惠我惠我！

二

我有兒女，
　他們替我教育。
我有疾病，
　他們給我醫藥。
我有家務，
　他們只要求我十點鐘的工作。
我有孕娠，
　他們把我幾塊錢讓我休息。
　　他們惠我惠我！

八年八月三日、時在上海。

輟了課的第一點鐘裏（時事新報） 沫若

（一）

「先生輟課了！」
我的靈魂拍着手兒叫道：好！好！
我赤足光頭，
忙向那自然的懷中跑。……

（二）

新詩集　寫實類

我跑到松林裏來散步，
頭上沐着朝陽，
脚下濯着清露。——
冷暖溫涼，
　一樣是自然生趣！

（三）

我走上了後門去路。
我門兒……呀！你才緊緊鎖着。
咳！我們人類爲甚麼要自作囚徒？
啊！那門外的海光遠遠的在向我招呼！

（四）

我要想翻出牆去；
我監禁久了的良心，
　他才有些怕懼。
一對雪白的海鷗正在海上飛舞。

啊！你們眞是自由！
咳！我才是個死囚！

（五）

我踏隻脚在門上，
我正要翻出監牆。
「先生！你別忙！」
背後的人聲
　叫得我面兒發燒，心發慌。

（六）

一個掃除的工人
　挑担灰塵在肩上。
他慢慢的開了後門，
　笑嘻嘻的把我解放……

（七）

我在這海岸上跑去跑來，

我眞快暢．

工人！我的恩人！

我感謝你得深深．

同那海心一樣！

先生和聽差 新潮一、三、 康白情

聽差的手和脚，是先生們的手和脚；

先生們的事，就是聽差的事。

東屋子的先生叫加煤；

西屋子的先生叫淘米；

南屋子的先生叫送信到郵政局；

北屋子的先生又叫掃地。

聽差忙亂了一會兒。

西屋子的先生可不樂意了，——

「聽差！淘米呢？

鬧的幹麼去了！」

聽差回說：

「加着煤呢！

一會兒就去。」

「加煤是事，淘米不是事？

眞不是東西！

幹不了就去罷！」

有軟軟的聲兒說，

「兩隻脚……兩隻手！……

不要也只索去！」

「去麼？——你去！

我有錢買得了鬼挑擔！

你去！你去！……」

停了，一會兒只聽見廚裏淅呀淅的米響，——再沒聽見一些些兒人的聲氣。

昨日今日 新生活四、 辛白

新詩集寫實類

一

景山之東，御河之北。

我昨日晌午，經過此地，所見的，
糞車，汽車，疲驢，瘦馬，
粉面小脚的婦人，銅頂長辮的男子，井邊飲水的車夫，道旁磕頭的乞丐，掛嚇人刀的警察，背殺人槍的軍人。
又，烈日燒膚，狂塵打面。

二

景山之東，御河之北。

我今日清晨，經過此地，所見的，
輕雲，微露，殘月，疎星，
景山上，翠柏，蒼松，雜花，豐草，御河裏，蓮葉，蓮花，菱，芡，蘋，藻。
幾個離巢小鳥，在空際飛鳴，

一〇

我一個幽寂的閑人，在樹陰緩步。清香撲鼻，涼風吹衣。

三

景山之東，御河之北，有昨日晌午？有今日清晨？

我願我，此生此後若干年，年若干日，日若干時，時時處處，都是今日清晨，不再有昨日晌午。

雜詩兩首 新潮一、四、 顧誠吾

（一）

我到鄉下去看我家的墳；
覺得山色湖光在在可愛。
到了墳丁家他主人却不在；
祇見一個孩子約十二歲的左右。
我同他談談說：「你到過城裏麼？」

他說：『我到過已有三次了。』

『好玩麼？』

『眞好玩！來來往往的人，連連絡絡的不斷。』

『我做了城裏人，到羨慕你鄉下的景緻，想來住下。』

他說：『咱鄉下人要耕田，要背柴；你會做麼？』

『你怎見得我不會？』

他笑着說道：『你們城裏人，只會吃吃白相相。』

（二）

我到杭州去，恰坐了省長回衙門的一次車；

沿路站了許多的兵警，舉着鎗，吹着喇叭；

小站小接，大站大接，車行遠了，還聽見嗚嗚的餘音。

許多同車的體面人，聚作一團，互相談論！

甲說：『我們今天眞是附驥尾！』

乙說：『我們今天可謂自備資斧接省長！』

丙說：『我們怎能夠有這樣的一日榮！』

丁說：『我也看見舉鎗，也聽見喇叭，便算他們迎接的只是我。』

對面有一個婦人，伞抱在臂上的小孩，聳了兩聳，說：『好看呀！』

遠遠的一座也有個婦人，說：『那些吹喇叭的，眞像個癡子。』

湖南小兒的話 新靑年五、四、

李劍農

你看？這個小牙俐，（即小孩子）眞有些憨氣！

我說，我們總要愛國，他就問我：『愛國作麼哩？』

他說，那穿黃衣的國軍，拷壞了他的爹爹；（讀如的的）

他說，那穿黃衣的國軍，嚇死了他的挨姐；（挨音哀湖南人呼祖母爲挨姐。）

他說，那穿黃衣的國軍，殺了他的哥哥，又逼死了他的姐姐。

我呵他道：

『你不要糊說。

這個你那裏怪得—我們的國？……』

他又搶着說：

他單剩了個嫂子，又被穿黃衣的搶着跑了；

他們的院子都被穿黃衣的燒了；

他的一條命都是外國人救出來的；

他如今還住在外國人的家裏。

我正要把話去駁他，

忽聽他哇的一聲『呵呀！』

先生我們趕……趕……趕快躲！

那對面街上有發……發……發了火！

湖南的路上（平民教育二、）　俍工

（一）

路邊的房子，燒的燒，倒了的倒了；

房子裏頭的人，不知道那裏去了；

有許多的田沒有耕，有許多的園沒有種；

唉，可惜荒廢了。

（二）

『噯喲！……老總，你老人家不要動手了，

憑在你要挑到那裏？我總依從你。』

一挑狠重的擔子，放在大路邊；

兩個穿灰衣的，扭住一個小百姓在那裏打。

京奉車中（新潮一、五，）　仲密

兩個不買票的兵—

一個跳下車去了，

一個躲在廁所裏。

他事後走出來還是悠然的吸煙捲—

穿着一身擁腫的軍衣，

一雙　底雙臉的鞋子。
我知道在這異樣服裝的底下，
也藏着一樣的精神，
一樣的身體。
我的理性教我恕你愛你，
但我的感情還不容我眞心的愛你。
不幸的人我對你實在抱歉！
這是我的力量還沒有徹底。

夜游上海所見（星期評論二五）

沈玄廬

（一）

一個胖子說：
「一日三出力，吃飯用大力。」
一個瘦子說：
「無錢買衣食，困覺當將息。」

（二）

求布施！求布施！
飯館子前十字路。
汽車去馬車來；來也無數去無數。
「眼飽肚中餓，口甜心裏苦。」
祇見得吃醉的人，
靠著車窗狂吐。
唉！「燕窩魚翅。」

（三）

有討，討；有要，要；
三個銅圓一頓飽。
冷尖尖的風，黑漆漆的廟
背貼背兒當棉襖，
糊糊塗塗困一覺。
聽說近來搶刧多，

大概他們不曾夢見過强盜。

（四）

忽被冷風吹醒了，
瑟瑟縮，又困著了！
那一邊是誰家的小女兒，
「來嗻」！「來嗻」！沿街叫！

（五）

風颼颼。叫聲漸漸低，微微帶著抖！
一個老婆子站在馬路中間，惡狠狠東邊張一張又
低下頭來歎了一口氣，再望西邊溜一溜。
夜夜亮的電光，如何還不把他們的心思照透！
此刻沒有什麼汽車馬車出風頭了！
只有紅廟角裏兩個叫化子呼！呼！依舊！

路上所見 新青年六、三、

周作人

北長街的馬路邊，

欹着一副賣豆汁的擔；
挑擔的老人坐在中間，
拏着小刀慢慢的切蘿蔔片。
一個大眼睛，紅面頰，雙丫髻的。
四五歲的女兒坐在他側面；
面前放着半盌豆汁，
小手裏揑了一雙竹筷，
張眼看著老人的臉，
向他問些甚麼話。
可惜我的車子過的快，
聽不到他們的話。
但這景象常在我眼前，
宛然一幅Raphael畫的天使與聖徒的古畫。

東京砲兵工廠同盟罷工 新青年、六、

周作人

（一九一九年八月至九月）

（一）

他們替他造槍，
他給他們喫飯。
槍也造得夠了，
米也貴得多了：
『請多給我們幾文罷！』
『……』

（二）

『請多給我們幾文罷！
米也貴得多了。』
我們飯都不夠喫了，
也不能替你造槍了。』

（三）

槍也造得夠了。

工廠的鍋爐熄了火了，
工人的竈也斷了烟了。
拏槍的人出來了，
造槍的人收了監了。

糊塗帳 新生活一、

辛白

七月一日，忽然地五色旗收藏，龍旗飄蕩。
十二天中，所聞所見的，無非是甚麼老臣微臣，
甚麼天恩聖上。
那滑稽的鎗砲，雖然是響了幾點鐘，這四百萬的
年金，却依然無恙。
我聽說，俄國的鎗斃，德國的逃亡，奧國的流放
。
同是一樣的東西，爲什麼這個這樣，那個那樣？
我眞算不清這一本二十世紀皇帝問題的糊塗帳。

羅威爾Lowell的詩 時事新報

新詩集寫實類

吳統續

一

有錢人的兒子承受了大廈高樓金銀和土地，
他也承繼了柔軟白白的手，
和怕寒在弱的身體，
他也弱不勝衣：
我想一想，
這樣的遺產，誰也會不想要的。

二

有錢人的兒子承受了憂慮；
銀行會破產，工場會燒燬，
一朝微風吹起，會社股份，歸了泡影裏；
他的柔軟白白的手不能營生計。

三

貧窮人的兒子承繼什麽哩？

一六

强的筋肉强的心。
鞏固的氣概同鞏固的身體！
兩手的王，盡他的本分，
做他有用的勞働和工藝：
我想一想，
這樣的遺產，王也會想要的。

窮人的怨恨

平民導報一、

Southey原著
孫祖宏譯

(一)窮人爲什麽要怨恨呢？
這個富人問我—
我講道：「你來，我們出去同行
我將要答你的問。」

(二)現在是晚上，冰凍着街道
看看是很淒涼—
我們衣服穿得是很完全的了，
但是我們還覺得冷。

(三)我們遇到了一個老而禿頭的人，
他的頭髮是很少幷且是很白；
我問他你爲什麼要站外面
在這種冬天的寒夜。
(四)他講道：『天氣是很利害的了—
但是在家裏又沒有火，又沒有食；
所以要跑出來
討一點東西吃吃。』
(五)我們遇着了一個赤足的女孩子，
伊求乞的聲音高而壯；
我問伊你爲什麼站在外面
在這種大風冷的天。
(六)伊講伊的父親在家裏，
生病睏在床上；
所以要跑出來
討一點麵包回家。
(七)我們遇到了一個婦人，
坐在一塊石上休息；
一個嬰兒爬在伊的背上，
還有一個靠在伊的胸前。
(八)我問伊你爲什麼要在這裏，
當這種冷的天氣；
伊回轉頭來叫那個孩子
靜着不要躁！
(九)後來伊講伊丈夫的職務，
在遠處當一個兵。
現在伊要到那塊地方去，
所以沿路的求乞。
(十)然後我回頭對着富人看，
他站着了不說話—

你問我窮人爲什麼怨恨，
　這許多人已經答覆了你的問！

愛情 新潮一、五、 駱啓榮

大雪滿天飛，路上行人絕。
貧婦抱兒道上行，兒在母親懷內泣。
貧婦向兒道，『寶寶，沒要哭，爸爸給你買餅吃。』
孩子停住哭，向着媽媽笑。
貧婦見兒笑，低頭和兒親個嘴。
他們雖窮苦，終有母子的愛情。

丁巳除夕歌 一名「他與我」 新青年四、三、 陳獨秀

古往今來忽有我。
　歲歲年年都遇視他。
明年我已四十歲。
　他的年紀不知是幾何？
我是誰？
　人人是我都非我。
他是誰？
　人人見他不識他。
他何爲？
　令人痛苦令人樂。
我何爲？
　拿筆方作除夕歌。
除夕歌，歌除夕；
　幾人嬉笑幾人泣；
富人樂洋洋，
　吃肉穿綢不費力。
窮人晝夜忙，
　屋漏被破無衣食。
長夜孤燈愁斷腸。

團圓恩愛甜如蜜。
滿地干戈血肉飛，
孤兒寡婦無人恤。
燭酒香花供竈神，
竈神那爲人出力。
磕頭放炮接財神，
財神不管年關急。
年關急，將奈何。
自有我身便有他。
他本非有意作威福，
我自設網羅自折磨。
轉眼春來還去否？
忽來忽去何奔波。
人生是夢。
日月如梭。
我有千言萬語說不出，
十年不作除夕歌。
世界之大大如斗，
裝滿悲歡裝不了他。
萬人如海北京城，
誰知道有人愁似我？

也算是一生 新潮一、五、 施誦華

他家裏有一位如花似玉的美人，時常似嬌如嗔的勸他說：『我們家裏有的是錢。況且你讀了幾年書，不會沒有名聲何必再要到別處念書去辜負了好時光。』

他母親對他說：『我只盼望子子孫孫安安穩穩的守着祖宗的烟火，你是吃墨水的人，總能體貼你娘的心。』

他聽了頻頻點頭心想；『大米飯是現成的，綢衣

裳是祖傳的，豔福是天賜的：何必再去僕僕風塵，辜負
這有限的一生。」
夕陽斜照着三尺孤墳，那裏埋着他的肉身，和天賦
與他的責任！

地獄八景之一

時事新報　遠岫

好啊！好啊！張爺李爺都來了，
快快擺台面，還有趙爺也說他就到，
四圈麻雀，一場撲克，吞雲吐霧，誰知那雅片的
滋味格外好！
這些爺們的心理，我總是懂不到！
但總說他們是體面商人，政團嬌客，督軍代表，
怪不得那些石灰和硃砂粉臉的東西，團團圍住他
們有多少，
有一個一手抓去格格叫，
有幾個抱住好像山鬼跳，

更有那憐香惜玉，情深似海的，獨自偏着頭，眼
望着一個「裝潢的茅人」微微笑，
唉！他們怎麼不覺得窗紗發白，四圍雞聲已報曉
？

願意

時事新報　左學訓

莫愁湖邊，
華嚴菴的門前，
一輛破爛的馬車在那兒等候。
馬是那般消瘦，
─腹部兩旁撐起無數的骨頭，兩個眼珠也陷得幾
乎沒有。
一會兒主人往車上一走！
那趕車的人，便拿起鞭兒，向他身上狠狠的抽！
走！走！
可憐的馬！你本該走！

牛 新潮一、四、

康白情

草兒在前，
鞭兒在後，
那喘吁吁的耕牛，
正擔着犂鳶，
眙着白眼，
帶水拖泥，
在那裏『一東二冬』的走。
『呼！—呼！……』
『牛吔，你不要歎氣。
快犂快犂，
我把草兒給你。』
『呼！—呼！……』
『牛吔，快犂快犂。
你還要歎氣，
我把鞭兒抽你。』
牛呵！—
人呵！
草兒在前，
鞭兒在後。

畫家 新青年六、六

周作人

可惜我並非畫家，
不能將一枝毛筆，
寫出許多情景。—
兩個赤脚的小兒，
立在溪邊灘上，
打架完了，
還同筑爛泥的小堰，

車外整天的秋雨，
靠窗裏見許多圓笠，—
男的女的都在水田裏，
趕忙著分種碧綠的稻秧。

小胡同口，
放著一副菜担，
滿担是青的紅的蘿蔔，
白的菜紫的茄子；
賣菜的人立著慢慢的叫賣。

初寒的早晨，
馬路旁邊靠著溝口，
一個黃衣服蓬頭的人，
坐著睡覺，—
屈了身子，幾乎疊作兩折。
看他背後的曲線，
歷歷的顯出生活的困倦。

這種種平凡的眞實的印像，
永久鮮明的留在心上；
可惜我並非畫家，
不能用這枝毛筆，
將他明白寫出。

寫景類

暮登泰山西望 少年中國一、五

康白情

一

白日隱約，暮雲把他遮了：
一半給我們看；
一半留着我們想。
日的情麽？
雲的情邪？

誰遮這落日，
莫是崑崙山的雲麽？
破喲！破喲！
莫斯科的曉了，
莫要遮了我要看的莫斯科喲。

二

那不是黃河？
那一條白帶似的不是黃河？
你從崑崙山的溝裏來麽？
崑崙山裏的紅葉，
想已他帶着一身秋了。

三

斑爛的石色，
赭綠的草色，
和這紅的，黃的，紫的，藍的，白的，鬆鋪在一地的山花相
襯。——人壓在半天裏。
這麽一塊紫細花的破袖！
花草都含愁，
爲着落日，也爲着秋，
我說『不用愁呵！

「天地不老，我們都正在着花呵！」

日觀峯看浴日（時事新報）　康白情

（一）

東望東海，
鯉魚斑的黑雲裏，
橫拖着要白不白的青光一帶。
中縣着一顆明珠兒，
憑空盪漾，
曲折橫斜的來往。
這不要是青島麼？
海上的魚麼？
火車上的燈？——汽船上的燈？——這是誰放的玩意
兒麼？
升了，升了，
明珠兒也不見了。

山下卻現出了村燈，——一點——二點——三點。
夜還只到一半麼？
這分明是冷清清的晨風，
分明是呼呼的吹着，
分明是帶來的幾句雞聲，
日怎麼還不浮出來喲？

（二）

要白不白的青光成了藕色了。
成了茄色了。
紅了。——赤了。——胭脂了。
鯉魚斑的黑雲，
都染成了一片片的紫金甲了。
星是都不知道那裏去了；
卻展開了大大的一張碧玉。
遠遠的淡淡的幾顆平峯

料必是那海陸的交界。

記得村燈明處，

倒不是幾點村燈，是幾條小河的曲處。

濕津津的小河，

隨意坦着的小河，

蜿蜒的白光—紅光。

髣髴是剛過了幾根蝸牛經過。

山呀，石呀，松呀，

只迷迷濛濛的抹着這莽蒼的密處。

（三）

哦，一個峯邊的兩滴流晶紅得要燃起來了！

他們都火熾熾的只管洶湧。

他們都髣髴等着甚麼似的只粘着不動。

他們待了一會兒沒有甚麼也就隱過去了。

他們再等也怕不再來了。

哦，來了！

這邊浮起來了！

一線，一半邊，一大半邊，一

一個凸凹不定的赤晶盤兒只在一塊青白青白的空中亂閃。

四圍髣髴有些甚麼在波動。

扁呀，圓呀，動盪呀，……

總沒有片刻的停住；

總活潑潑的應着一個活潑潑的人生；

總把他那些關不住了的奇光，

瑣瑣碎碎的散在這些山的，石的，松的上面。

小河 新青年六、二、

周作人

有人問我這詩是什麼體，連自己也回答不出。法國波特來爾(Baudelaire)提倡起來的散文詩，略略相像，不過他是用散文格式，現在卻一行一行的分寫了。內容大致仿那歐洲的俗歌；俗歌本來最要叶韻，現在卻無韻。或者算不詩得，也未可知；但這是沒有什麼關係。

一條小河，穩穩的向前流動。
經過的地方，兩面全是烏黑的土，
生滿了紅的花，碧綠的葉，黃的實。

一個農夫背了鋤來，在小河中間築起一道堰，
下流乾了；上流的水被堰攔着，下來不得：
不得前進，又不能退回，水只在堰前亂轉。
水要保他的生命，總須流動，便只在堰前亂轉。
堰下的土，逐漸淘去，成了深潭。
水也不怨這堰，——便只是想流動，
想同從前一般，穩穩的向前流動，

一日農夫又來，土堰外築起一道石堰。
土堰坍了；水衝著堅固的石堰，還只是亂轉。
堰外田裏的稻，聽着水聲，皺眉說道，——
「我是一株稻，是一株可憐的小草，
我喜歡水來潤澤我，
卻怕他在我身上流過。
小河的水是我的好朋友，
他曾經穩穩的流過我面前，
我對他點頭，他向我微笑，
我願他能夠放出了石堰，
仍然穩穩的流着，
向我們微笑；
曲曲折折的儘量向前流着，
經過的兩面地方，都變成一片錦繡。

他本是我的好朋友，—
只怕他如今不認識我了；
他在地底裏呻吟，
聽去雖然微細，卻又如何可怕！
這不像我朋友平日的聲音，
——被輕風攙着走上沙灘來時，
快活的聲音。
我只怕他這回出來的時候，
不認識從前的朋友了，
便在我身上大踏步過去：
我所以正在這裏憂慮。」
田邊的桑樹，也搖頭說，—
「我生的高，能望見那小河，—
他是我的好朋友，

他送清水給我喝，
使我能生肥綠的葉，紫紅的桑葚，—
他從前清澈的顏色，
現在變了青黑；
又是終年掙扎，臉上添出許多痙攣的縐紋。
他只向下鑽，早沒工夫對了我點頭微笑，
堰下的潭，深過了我的根了。
我生在小河旁邊，
夏天曬不枯我的枝條，
冬天凍不壞我的根，
如今只怕我的好朋友，
將我帶倒在沙灘上，
拌着他捲來的水草。
我可憐我的好朋友，
但實在也為我自己着急。

田裏的草和蝦蟆，聽了兩個的話，
也都歎氣，各有他們自己的心事，

水只在堰前亂轉；
堅固的石堰還是一毫不搖動。
築堰的人，不知到那裏去了？

生機 新青年六、四、 沈尹默

枯樹上的殘雪，漸漸都消化了；那風雪凜冽的餘威，
似乎敵不住微和的春氣。
園裏一樹山桃花，他含着十分生意，密密的開了滿
枝，不但這裏桃花好看，到處園裏都是這般。
刮了兩日風。又下了幾陣雪。
山桃雖是開着，卻凍壞了夾竹桃的葉。　地上的嫩
紅芽。更殭了發不出。
人人說天氣這般冷，草木的生機恐怕都被挫折；誰
知道那路旁的細柳條，他們暗地裏卻一齊換了顏色！

除夕入香山 新潮一、三、 羅家倫

陰風颯颯，寒日茫茫，
靜悄悄的香山寺下，沒有別一個遊人。
祇剩得半座空山同我窸呀窣的脚步兒相和相應。
野草彫零，模糊了幾條舊徑；
頹垣下的殘雪—
　高低歷亂—
裝點出幾處新墳。
緩緩的向前去，忽聽得呼拍拍的一聲，
　知是一個小小的山鳥驚人。
鳥呀！我客裏遊山，何忍來驚動你。
鳥獨無聲，棲在枝上，

祇見那被殘雪洗過的松枝又清又冷，

深秋永定門城上晚景（新潮一、二、）

傅斯年

我同兩個朋友，
一齊上了永定門西城頭。
這城牆外面緊貼著一灣碧青的流水；
多少顆樹，裝點成多少頃的田疇。
裏面漫瀰的蘆葦，
鑲出幾重曲折的小路，幾堆土隴，幾處僧舍，
陶然亭，龍泉寺，鸚鵡邱。
城下枕著水溝，
裏外通流。
最可愛，這田間。
看不到村落，也不見炊煙；
只有兩三房屋半藏半露，影捉捉在樹裏邊，
雖然是一片平衍，
樹上却顯出無窮的景色，
樹裏也含著不盡的境界，
叢錯，深秀，廻環。
那樹邊，地邊，天邊，
如雲，如水，如烟，
望不斷——一綫。
忽地裏撲喇喇一響，
一個野鴨飛去水塘。
髣髴像大車音波，漫漫的工——東——噹。
又有種說不出的聲息若續若不響。
轉眼西看，
日已臨山。（一）

新詩集 寫景類

起出時離山尚差一竿；
漸漸的去山不遠；
一會兒山頂上只剩火球一線；
忽然間全不見。
這時節反射的紅光上翻。
山那邊，岡巒也是雲霞，雲霞也是岡巒；
層層疊疊一片，
費盡了千里眼。
山這邊，紅烟含著青烟，
青烟含著紅烟，
一齊的微微動轉，
似明似暗：
山色似見似不見；—
描不出的層次和新鮮。
只可惜這舍不得的秋郊晚景，昏昏沉沉的暗淡；

眼光的圈，匆匆縮短。
樹煙和山煙，遠景帶近景，一塊兒化做濃團。
回身北望，
滿眼的渺茫；
白葦漸漸成黃葦；青塘漸漸變黑塘。
任憑他一草一木；都帶着萎黃—頹唐，模糊模樣。
遠遠幾處紅樓頂，幾縷天竈煙，正是吵鬧場，繁華地方；
更顯得這裏孤伶悽愴。
荒曠氣象，
城外比不上他蒼涼，
(一)西山去此有三十餘里，故日市下山，天已昏黑。

公園裏的『二月藍』 新青年五、一、

沈尹默

牡丹過了，接着又開了幾欄紅芍藥，路旁邊的二月

藍，仍舊滿地的開着，開了滿地，沒甚希奇，大家都說
這是鄉下人看的。
我來看芍藥也看二月藍；在社稷壇裏幾百年老松柏，
的面前露出了鄉下人的破綻。

冬夜之公園 新潮一、二、 俞平伯

『啞！啞！啞！』
隊隊的歸鴉，相和相答，
淡茫茫的冷月，
襯著那翠疊的濃林，
越顯得枝柯老態如畫。
兩行柏樹，夾着蜿蜒石路，
覺不見半個人影。
抬頭看月色，
似煙似霧朦朧的罩著。

遠近幾星燈火，
忽黃忽白不定的閃鑠：——
格外覺得淸冷。
鴉都睡了；滿園悄悄無聲。
惟有一個突地裏驚醒，
這枝飛到那枝，
不知爲甚的叫得這般淒緊！
聽他彷彿說道，
『歸呀！歸呀！』

老頭子和小孩子 並序 新潮一、三、 傅斯年

這是十五年前的經歷；現在想起，恰似夢景一般。

三日的雨，

新詩集 寫景類

接着一日的晴。
到處的蛙鳴，
野外的綠煙兒濛濛騰騰。

遠遠樹上的『知了』聲；
近旁草底的『蛐蛐』聲(一)
溪邊的流水花浪花浪；
柳葉上的風聲辟歷辟歷；
高粱葉上的風聲沙喇沙喇；
一組天然的音樂到人身上化成一陣淺涼。
野草兒的香，
野花兒的香，
水兒的香，
團團的鑽進鼻去，頓覺得此身也在空中蕩漾。

這一幅水接天連晴靄照映的畫圖裏，
只見得一個六七十歲的老頭子，
和一個八九歲的孩子，
立在河崖堤上。
彷彿這世界是他倆人的模樣。

(一)我們家鄉叫『蟋蟀』做『蛐蛐』叫『蟬』做『知了』

無聊

新青年五、一、

劉半農

陰沈沈的天氣，
裏面一座小院子裏楊花飛得滿天，榆錢落得滿地。
外面那大院子裏却開着一棚紫籐花，
花中有來來往往的蜜蜂；有飛鳴上下的小鳥；有個小
　銅鈴；繫在籐上。
春風徐徐吹來，銅鈴叮叮噹噹，響個不止，

花要謝了；嫩紫色的花瓣，微風飄細雨似的，一陣陣落下。

山中 新潮一、四、 顧誠吾

躑躅亂山中，走完了欹巇的石路！
止在一重門口，此外別無去處。
太陽照着，沒有遮蔽，臉兒紅似火；
沒奈何，輕敲微咳，私下探看，尋無人守護。
走進門來，只見半座小山，補牆缺，千竿竹，彼掩蓋屋宇。
太陽淡淡，竹聲蕭蕭，顯得這裏越靜，——我再也不能離去。
不知這山何名？他主人何名氏？下回再游時，可能尋至？
整整的呆看兩小時，只覺此心，澄清如水，飛動如絲。

春水船 新潮一、四、 俞平伯

太陽當頂，晌午的時分，
春光尋遍了海濱。

微風吹來，
聽碎零亂，又清又脆的一陣。
呀！——原來是鳥——小鳥的歌聲。

我獨自閒步沿着河邊，
看絲絲縷縷層層疊疊，
浪紋如織，
反還着陽光閃爍，
辨不出高低和遠近，
只覺得一片黃金般的顏色。

對岸的店鋪人家，
來往的帆檣，
和那不盡的樹木房舍，
擺列一線，——

都浸在暖洋洋的空氣裏面。

我只管朝前走：
想在心頭看在眼裏；
細嘗那春天的好滋味。
對面來個縴人，
拉着個單桅的船徐徐移去。
雙櫓插在舷唇。
皺面開紋，
活活水流不住。

船頭曬着破網。
漁人坐在板上，
把刀劈竹拍拍的響。
船口立個小孩，又憨又蠢，
不知爲什麼。
笑迷迷痴看那黃波浪。

破舊的船；
襤褸的他倆。
但這種「浮家泛宅」的生涯，
偏是新鮮—乾淨—自由，
和可愛的春光一樣。

歸途望。
遠近的高樓，
密重重的簾幕—
儘低着頭呆呆的想。

春意（二月作）新生活十一、　兼士

斜陽半院，松影遮廊，我在水廊上閒坐。

初春天氣，漸覺暖和。
廊下半開凍的方塘，注入清冷的春水，衝動冰澌，時起微波。
一雙白鴨，洗浴剛罷，站在冰塊上，曬翅刷毛，快活不過。
活潑潑的小阿覗，對着這個景緻，却也半晌不動，一聲不響的伴着我。

山居 曙光 一、

Helen Unerwood Hoyt 原作

王統照譯

一個青綠的花園，在高高的峯頂，
日光下却有個古折的笆籬，
矗立的灰色叢松—安靜而且秀美，
伸展他們的清思在輭醉的陽光裏。
一陣陣的微風吹掠到山邊，穿過了彎彎曲曲黃褐色的草地，
翻轉在山巔又散入浮雲去，
這地方是知道幽隱的話，常常不見了！
却只在安閑的大地中，與友愛的雲深處。

初冬京奉道中 曙光 一、二、

王統照

（一）

絲絲的陽光，透出了清冷的空氣。
回望烟霧迷濛中，却隱藏着一個古舊奇詭神秘汙濁的都市！我年來的生活是在此中！
我這片刻的光陰却脫離了你—

（二）

推窗四望—
但見墜落的枯葉，鋪滿了大地。
淺淺的幾道清流，却是滿浮了塵滓。
頹廢的古剎。
荒涼的墳墓。

新詩集 寫景類

滿眼裏！
蕭條，
殘廢，
都嵌入無盡的天邊裏！

(三)

蕭條，
殘廢，
是世界上的天然景物；
也是新萌芽植根的潛伏勢力。
但待到熙樂的春來
有潤澤的風雨，
有可愛的花樹，
便點綴的眼前萬物都佈滿了美妙惠愛愉快壯麗。

冬夜 社會新聲二、

李書渠

滿天布著黑漆似的烏雲，

三六

什麼星兒？什麼月亮？都被他緊緊密密的遮着
只有稀稀的幾盞灰色慘淡的路燈，
將這漫沈沈的黑暗點破。
太北風起了，
吹著那電線樹枝發嗚嗚的叫聲。
好像幾個怪獸在空中格鬥。
還有幾處的吠聲。
一起一落的與他應和。
在這寒冷森嚴的夜裏一些人都早已睡了，
路上無一人行走。
那半明半暗的路燈也被風吹熄了幾個。
只聽得嗚聲吠聲，
連續震動人的耳膜。
忽然風中帶來一陣戰淋淋的嫩聲音，
「鹽水花生米喲！」

寫意類

解放 新婦女一、二、

拯圜

(一)

解放在大海旁邊立著，
一羣婦女圍著他說道：
「那邊是平等世界，
吾們可以過去嗎？」
他說：「這樣茫茫的大海，
沒有橋梁，又沒船隻；
—還有人不要你們過去—
你們怎樣過去！」
衆人說：「吾們决定了！
請你指示個方法，
吾們定要過去！」

(二)

解放點頭說道：「有了！有了！
你們就是橋梁，
你們就是船隻；
你們要過去，
就可以過去！
這海上一道白光
何等光明，何等可愛；
便是你們過去的要道。
你們照著這條路前進—努力前進，
不要怕什麼波浪兇惡；
你們便可以過去—便可以穩穩的過去！」
衆人聽了，說道：「好！好！……」

(三)

後面又來了一羣人—不要他們過去的人，
想用很大的勢力，

壓迫他們回去！
但是他們早已過去—早已穩穩的過去！
那歡呼的聲音，
隔著茫茫的大海，
還可以遠遠地聽著！

鳥 新青年六、五、

陳衡哲

狂風急雨，
打得我好苦！
　打翻了我的破巢，
　淋溼了我美麗的毛羽。
我撲折了翅翮，
　嚇破了眼珠，
也找不到一個棲身的場所！
窗裏一隻籠鳥，

倚靠着金漆的闌干，
側着眼只是對我看。
我不知道他還是憂愁還是喜歡！
　明天一早，
風雨停了。
煦煦的陽光，
　照着那鮮嫩的綠草。
我和我的同心朋友，
　雙雙的隨意飛去；
忽見那籠裏的同胞，
　正撲着雙翼在那裏昏昏的飛繞；—
要想撞破那雕籠，
好出來重做一個自由的飛鳥。

他見了我們，
忽然止了飛。
對着我們不住的悲啼。
他好像是說：
「我若出了牢籠
不管他天西地東。
也不管他惡雨狂風，
我定要飛他一個海闊天空！
直飛到筋疲力竭水盡山窮，
我便請那狂風，
把我的羽毛肌骨，
一絲絲的都吹散在自由的空氣中！」

新光 平民教育二、 德

(一)
一道新光如線，
射在陰沈沈的海面．
我說：「你們看如何？」
他說：「我們看不見．」
(二)
難道不是一樣，
同時射到四面八方．
原來你們帶着「色眼鏡，」
把眞實話反道說謊．
(三)
那光漸漸的大了．
射的我，「眼花撩亂，」「手舞足蹈．」
猛回頭看見他們，
天哪眞好！

見火星隨感 星期評論紀念號 仲蘇

遠遠望天空，一星一軌道。

看那近地球的火星，也有些日光返照。
彼中人竊竊含笑；
笑地面的人，究竟爲什麼？各舉各的旗號。
想和他通通奧窔—
休了！休了！
那地面的人類，一些兒也不知道。

毀滅 星期評論十八、 執信

讀胡適之先生詩，忽憶天文學家言，吾人所見星光有數千年前所發者，星光入吾人眼中時，星或已滅矣，戲成此詩。

一個明星離吾們幾千萬億里；
他的光明却常到吾們的眼精裏。
宇宙的力量幾千年前把他毀滅了。
我們眼精裏頭的光明還沒有減少。

你不能不生人，
人就一定長眼睛。
你如何能彀毀滅
這眼睛裏頭的星！
一個星毀滅了，
別個星剛剛團起。
我們的眼睛昏澀了，
還有我們的兄弟我們的兒子！

冬夜 Lenaus Winternight 新時報 劉鳳生

微風被那嚴寒弄得麻木了。
雪片兒在我的脚步前亂舞。
我的鬚顫顫的響我呼出的氣像蒸氣溼了。
只有常常前進。大踏我的步。

這隣近的地方。沉沉寂寂何等的嚴肅。
月亮兒照耀到那些古松。
古松有老死的顏色。
還彎回他的枝頭到地中。
霜呀。把我的心凍碎罷。
鑽到這狂熱的野心。
使得他有一次的休憩。
好比這一片平原在夜深呢。
一個狼在深林裏咆哮。
母親就將伊兒子喚醒著。
狠來驚破伊的夢。
向伊要血肉的糧食。
風在這兒狂呼。
飛過這雪和冰了。
他猛力的跑說。

醒罷。你呢。去鳴不平罷。
讓你「死而復活」
受野蠻人的苦楚。
讓你同狂風去罷。
到北方玩的伴侶。

威權（每週評論二十八、）

適

（一）

威權坐在山頂上，
指揮一班鐵索鎖著的奴隸替他開鑛。
他說：『你們誰敢不盡力做工？
我要把你們怎麼樣就怎麼樣！』

（二）

奴隸們做了一萬年的苦工，
頸上的鐵索漸漸的磨斷了。
他們說：『等到鐵索斷時，

我們要造反了！」

（三）

奴隸們同心合力，

一鋤一鋤的掘到山脚底。

山脚底挖空了，

威權倒撞下來，活活的跌死。

樂觀　新生活九、

胡適

一

「這柯大樹很可惡，

他礙着我的路！

來！

快把他斫倒了，

把樹根也掘去。—

哈哈！好了！」

二

大樹被斫做柴燒，

樹根不久也爛完了。

斫樹的人狠得意，

他覺得狠平安了。

三

但是那樹還有許多種子，—

狠小的種子，裹在有刺的殼裏—

上面蓋着枯葉，

葉上堆着白雪。

狠小的東西，誰也不注意。

四

雪消了，

枯葉被春風吹跑了。

那有刺的殼都裂開了，

每個上面長出兩瓣嫩葉，

笑迷迷的，好像是說：
「我們又來了！」

五

過了許多年，
壩上田邊，都是大樹了。
辛苦的工人，在樹下乘涼，
聰明的小鳥，在樹上歌唱，——
那斫樹的人到那裏去了？

微光（八月二十六日作）

時事新報　王志瑞

天怎麽還不曉？
我却披衣起了。
推開窗子望着天上：
月亮已經去休息了；
太陽却沒我起的早。

可愛的幾點殘星，
掛在空中，微微的照耀。
我說：「好朋友！你們的螢光雖小，
你們此刻算是唯一的神了！」
可愛的幾點殘星，
只是微微的照耀，
好像是對我發愁；又像是望着我笑。

旁的怎麽樣

時事新報　王志瑞

（一）

亂蓬蓬的青草堆裏，
忽然開了幾朶鮮花；
紅的，白的，黃的和紫的，
總是幾朶美麗的花，——總是幾朶野草裏的花！
霎地裏來了個頑童，
把那邊的一朶折下了；

我着實替旁的花着急！

我看他們也像急急着，方纔的笑顏似乎變了！

但我不知道他們究竟怎麼樣？

（二）

旁晚時刮了一陣暴風，那邊一隻渡船打翻了！

渡船上載着幾位美麗的神，如今一齊遭刼了！

我見：

旁的渡船的水手都呆看着，──一方又緊緊的把着舵。

我着實替他們着急！

但不知他們究竟怎麼樣？

（三）

我站在黑暗裏，──幾乎一步也不能走，

遠遠地忽然有幾點燈光照着我，

我便向那光明的所在走。

那知道一盞燈熄了，

我很覺得急着！

覺得前面的光明未免減色了！

又恐怕前面的光明，可不要一齊都熄了！

但是我不知他們究竟怎麼樣？

理想的實現　時事新報

震勛

（一）　（中秋夜作）

明月！明月！

我盼久了！你爲什麼遲遲的不出？

你有强大的光輝，永久的性質

你繞地周行，照遍世界，何曾遺漏了一名一物。

（二）

明月！明月！

你圓時少，缺時多；

難得你今宵光明分外，瀉影銀河。

江山換色，人浸月宮波。

（三）

明月！明月！

我歡喜你的照出，我又怕你將沉沒。

我要把萬丈長繩，絆住你當空的皓魄。

只是這根繩兒，我又向何處去尋覓？

鴿子 新青年四、一、 沈尹默

空中飛着一羣鴿子，籠裏關着一羣鴿子，街上走的人，
小手巾裏還兜着兩個鴿子。

飛着的是受人家的指使，帶着鞘兒翁翁央央，七轉八
轉遶空飛，人家聽了歡喜。

關着的是替人家作生意，青青白白的毛羽，溫溫和和
的樣子，人家看了歡喜，有人出錢便買去，買去喫點
黃小米。

只有手巾裏兜着的那兩個，有點難算計。不知他今日
是生還是死；恐怕不到晚飯時，已在人家菜碗裏。

老鴉有序 新青年四、二、 胡適

六年十二月十一日，重讀伊伯生之「國民公敵」戲本，欲作一詩題之，是夜夢中作一詩，醒時乃並其題而忘之，出門見空中鴿子，始憶夢中詩爲「咏鴉與鴿」，然終不能舉其詞，因爲補作成二章。

（一）

我大清早起，

站在人家屋角上啞啞的啼。

人家討嫌我，說我不吉利。——

我不能呢呢喃喃討人家的歡喜！

（二）

天寒風緊，無枝可棲，

我整日裏飛廻整日裏挨飢，——

我不能替人家帶着鞘兒翁翁央央的飛，
也不能叫人家繫在竹竿頭賺一撮黃小米！

本來干他什麼事

時事新報 王志瑞

（一）

鳥兒好好的在天空裏飛，
他却要費心去捉着，把鳥兒關閉在竹絲籠裏；
魚兒好好的在河水裏游，
他又要費心去捉着，把魚兒強迫到小水缸裏；
蟲兒好好的在青草裏叫，
他更要費心去捉着，把蟲兒禁押在瓦盆兒裏。

（二）

一回兒他望着籠裏，
鳥兒撒了他一面的灰；
他看着缸裏，
魚兒潑了他半身水；
那盆裏唧唧咕咕……的聲音，
又鬧得他不耐煩，——不能入睡。

（三）

他就把鳥兒放還天空裏；
把魚兒放還河水裏；
把蟲兒放還青草裏。
我想：那些！鳥兒，魚兒，蟲兒，——本來干他什麼事？
他起初為什麼要費心那些？
他以後可再要費心那些？

耕牛

新青年五、一、 沈尹默

好田地多黏土只是無耕牛的苦。
難道這地方的人窮，連耕牛都買不起？
聽說來了許多人都帶着長刀子，把這個地方的耕牛，個個都嚇死。

嚇死幾個畜生，算得甚麼事？ 不過少種幾畝地，少出幾粒米。

好在少米的地方也少人，那裏還愁有人會餓死？

折楊柳 新空氣五、

蜀狂

平坦坦的路，
兩旁栽了青青的楊柳多處，
你看他，
每到春來千絲萬縷，
隨風吹來吹去，
若等他成陰了，
也可以擋一擋驕陽的熱度。
路上的行人，
一樣狂傖，
忍把那青翠的柔條，

攀折個不住，
錯！錯！錯！誤！誤！誤！
你縱不憐他嫩綠新青，
你也要體貼那栽培人的心苦。

霜 南洋十二、

觀海

起了一陣虎虎的北風，
不見了青青的樹葉；
只有縱橫的枝幹，點綴這嚴肅的景色。
萬物初動的時候，
試向平原望去；
曉風薄霧之外，
抑又鋪了一層疏散的白粉。
人哪，
草哪；
都受不起他的嚴寒，

忍不得他的摧殘。
呵！
　你眞利害！
　你眞猖狂！
但是太陽來，
你卻到那裏去了？

落葉　新生活五、

寒星

一、樹葉要生長，
　風要吹落他，
　他如何抵抗？
二、他落在地上，
　悉悉索索，
　發幾陣悲涼的聲響！
三、他不久要化作泥，
　但是留得一刻，

　便要發一刻的聲響！
四、那是最後的聲響！
　是無可奈何的聲響！
　但是—終於是他的聲響！

四月二十五日夜　新青年五、一、

胡適

吹了燈兒捲開窗幕，放進月光滿地，
對着這般月色，教我要睡也如何睡。
我待要起來遮着窗兒推出月光，又覺得有點對他月亮兒不起。
我整日裏講王充仲身統阿里士多德愛比苦拉斯：
……幾乎全忘了我自己。
多謝你殷勤好月提起我過來哀怨過來情思。
我就千思萬想直到月落天明，也甘心願意。
怕明夜雲密遮天，風狂打屋，何處能尋你？

從那滾滾大洋的羣衆裏　時事新報

W. Whitman　沫若譯

（一）

從那滾滾大洋的羣衆裏，緩緩兒的來了一路水，
向我耳邊說道：「我愛你，我不久要死，
我走了遠遠的路程，專誠來見你，專誠來捨你，
我要見你一次，我纔能彀死，
因爲我怕死了之後，我會失掉了你。」

（二）

如今我們相遇，我們相見，我們都無恙；
我的愛，你請平平穩穩的回向大洋；
我也是那大洋的一份子，我的愛—
　我們並不曾十分相離，
你請看這個大圓—這萬彙的輻湊，何等完全！
那不可抵抗的海雖則要把你我分離，
但只能帶開我們一時—不能帶開我們永遠；
我每逢黎明的時候，我在爲你贊美大空，太洋和
大地，
我的愛，你請忍耐一些兒。

沫若案：煞尾一句包含着靈魂不滅的意思。
　「不可抵抗的海」，便是「死」的修詞。

鷄鳴　新潮一、五、　康白情

『哥哥呀！：：哥哥呀！：：』，
幾句鷄聲幾家從夢中催起。
嫂嫂起來煮飯。
婆婆起來打米。
哥哥起來上坡(一)
妹妹起來梳洗。
他卻老望着那鏡內要明不白的影兒—嬾嬾地。
又聽一聲聲道『哥哥呀；哥哥呀，』

新詩集寫意類

他說：『天下也有叫不醒的哥哥，——
那裏都像我們一家子！』
(一)四川方言出門農作統叫做上坡。

人與時 新青年、五、一 唐俟

一人說，將來勝過現在。
一人說，現在遠不及從前。
一人說，什麽？
時道，你們都侮辱我的現在。
從前好的，自己回去。
將來好的，跟我前去。
這這什麽的。
我不和你說什麽。

一隻飛雁 (十一月十三日之夜)時事新報 仲蘇

這時候夜已深了：

五〇

寒月照耀，越顯得雲薄天高。
除却遠村犬吠，林間落葉，
還有什麽聲音可以喚醒世界的酣夢啊？
半空裏忽然發了一聲狂叫，
是誰高歌？是誰長嘯？
這要死的寂寞被那悲壯的呼聲驚破了！
波浪似的回聲在空中擺動，好像是衆生呻吟——
細訴他們的苦惱。
哦！原來是一隻拋棄伴侶的孤雁來了！
他環繞着我盤旋，高叫，
猛可的又飛去了。
唉！雁，你這瀟灑超脫？長征不倦的飛鳥，
真使我欣喜，羨愛，——忘却萬般的煩惱。

雨 平民教育四、 負雪

雨，你本來是很純潔的東西。

你只爲可憐這世界的齷齪，才拚命的下來將他洗洗。
誰知道這世界的齷齪，不曾被你洗去一點半點？
反將你本來的面目弄得髒滑滑的。
當初你也不是喜歡齷齪的，
爲甚麼今天也跟着旁人在這齷齪堆裏？
唉！原來你是個「同流合污」的賤東西！

雀（黑潮一、二、）

友白

一羣小小的麻雀。
他們整日裏飛來飛去東一把粞西一把米。
還有那黃鶯兒翠姑兒也隨著他頑戲。
咳！雀！你們須得準備天地有潔白的日子，
北風起了，大雪紛紛不止頃刻間天地都變了顏色
咳！雀！……

黴菌（工學一、二、）

愛我

黴菌躲在陰溝裏；
黴菌的仇敵，站在太陽裏。
黴菌的仇敵，怒伸兩臂對著黴菌嚷道：
「你出來，我和你決鬥！」
黴菌縮着頭不敢出來，
因爲怕太陽。

八年九月三十日

黑雲（工學一、二、）

范煜璲

黑雲層層疊疊；
滿天很光亮的星兒遮住了好多。
別的星兒爲他的伙伴抱不平，說：
「黑雲！你是好漢也來遮住我！」
黑雲說：「你別大言，你且看我！」
不一會兒，
天上地下不見一點光明；

祇聽得從黑暗縫裏透出來的聲音說：
「自有東風，
把你颳到西方不見影。」

一九一九年十月二日

一夢 女界鐘二十、 週|

同行一個山上，
我最愛的妹子，
忽然掉在山脚裏。
我聽伊叫道：
「哥哥！你快來救我！你快來救我！」
我答道：「我一定救你。」
但是我終不能夠跑到山下將伊救起。
我又聽伊叫道：
「哥哥！你快來救我！
現在救我的人，便只有你！」

我又答道：」妹子！我一定要救你！」
但是我若是也到了山脚下，
又怎好救你？
你若要 救你，
你先要自己救自己！你只努力向山上爬起。
到那時候，
吾才好仆着山邊，
伸長兩手將伊救起。

冬天的青菜 新嘐東一、 季 疇|

天氣冷了。
每天早上雪白的濃霜，壓着那鮮嫩的青菜上，
好像要滅他生機的模樣。
多謝濃霜。
幸虧你加在身上；
使我心甜使我肥壯。

寫情類

送任叔永回四川 新青年六、五、

胡適

你還記得，綺色佳城，凱約嘉湖上，
山前山後多少瀑泉奇絕更添上遠遠的一線湖光，
瀑溪的秋色，西山的落日，眞個無雙；
還有那到枕的湍聲夜夜像驟雨打秋林一樣？
那是你和我最難忘的『第二故鄉』
如今回想，
往日的交情，舊遊的風景，
一半在你我的詩囊，一半在夢魂中來往。

你還記得，我們暫別又相逢，正是赫貞春好？
記得江樓同遠眺，雲影渡江來，驚起江頭鷗鳥？
記得江邊石上，同坐看潮回，浪聲遮斷人笑？
記得那回同訪友，日暗風橫，林裏陪他聽松嘯？
這回久別再相逢，便又送你歸去，未免太匆匆！
多虧得天意多留你兩日，使我做得成詩相送。
萬一這首詩趕得上遠行人，
多替我說聲『老任珍重珍重！』

送戚君書棟往南洋 時事新報

李魯航

(一)

口棟！我們都是千里來此，爲什麼你又要走？
在這個涼和時候，敎我怎忍受這「客裏別友？」
你看那溲溲的北風呀！好像從我們家鄉到此，來送你的行。

(二)

可憐我呀！順着風兒送你，背着風兒想家。

口棟！你是一個中國少年，裝滿了一肚子熱腸．
爲什麼你也要拋了中國，跑到南洋？
咳！不管他南洋北洋東洋西洋，
我們總是要抱定宗旨，往前進行，

（三）

口棟，你看那天上的行雲，天邊的和風．
什麼是有情無情，總歸是來去無蹤．
我盼你自今一別呀！
去做那南洋的晨光，華僑的明星．

想起李陸二君來就胡寫了幾句

給琴蓀少年五、　党家斌

「鐺鐺」！下堂了！
忽然想起弘毅來，
慢慢下樓來，到十八教室—
名牌上分明有「李樹勳」三個大字，
可是一號坐位早空了！
只呆呆望着那名牌。

天黑，月暗，
只有幾點明星放出冷冷的光來，
一個人獨在那靜悄悄的小巷踱來踱去。
頭昏不能用心，
眼痛不敢看書，
「知己燈下共譚心」豈不快活？
惟一！你走了？
我同誰譚好呢？
我同誰譚好呢？
濕我千呼萬喚，
如何能驚動萬里飄零的你？

琴蓀

在這萬惡社會裏，
幾多青年，
如狂如痴！
他倆實行所信走了！
但是我們倆的發狂問題呢？

答黨君 少年五、

趙世炎

我們倆的發狂問題？
我不懂得；
在別人說我們是狂，
我們却不可承認，
我們只要作「人」—
那管那些？
惟一走了，

你可以同我譚，
弘毅的座位空了，
我的座位有我；
你不過暫時找不着惟一談，
看不見有弘毅的座位。
痛快！痛快！
我在天津河岸送他們，
汽笛一聲—
他們走了！
我不得不已，垂頭喪气，
又回到這「北京首善之區！」

週歲 晨報紀念號．

胡適

（祝晨報一年紀念）

唱大鼓的唱大鼓，

變戲法的變戲法；
綵棚底下許多男女賓，
擠來擠去鬧熱煞！

主人抱出小孩子，——
這是他的週歲。——
我們大家圍攏來，
給他開慶祝會。

有的祝他多福，
有的祝他多壽；
我與衆客不同，
我獨祝他奮鬥：
「我賀你這一杯酒、
恭喜你奮鬥了一年；
恭喜你戰勝了病魔，
恭喜你平安健全。」

「我再賀你一杯酒，
祝你奮鬥到底：
你要不能戰勝病魔，
病魔會戰勝了你！」

八年十一月二十七日

二、題女兒小蕙週歲日造象 新青年四

劉半農

你餓了便啼，飽了便嬉，
倦了思眠，冷了索衣；
不餓不冷不思眠，我見你整日笑嘻嘻。
你也有心，只是無牽記；

你也有眼耳鼻舌，只未着色聲香味；
你有你的小靈魂，不登天也不墮地。
呵呵，我羨你，我羨你！
你是天地間的活神仙！
是自然界不加冕的皇帝！

新婚雜詩 新青年四、四、

胡適

一

十三年沒見面的想思，於今完結，
把一樁樁傷心舊事從頭細說。
你莫說你對不住我，
我也不說我對不住你，—
且牢牢記取這十二月三十夜的中天明月！

二

回首十四年前；
初春冷雨，
中邨簫鼓，
有個人來看女壻：
匆匆別後，便輕將愛女相許。
只恨我十年作客，歸來遲暮；
到如今，待雙雙登堂拜母，
只剩得荒草新墳，斜陽淒楚！
最傷心，不堪重聽，燈前人訴，阿母臨終語！

三

與新婦自江村回，至楊桃嶺上望江村廟首諸村及其此諸山，

重山叠嶂，
都似一重重奔濤東向！
山脚下幾個村鄉，
百年來多少興亡，
不堪回想！

更何須回想！

想十萬萬年前這多少山這都不過是大海裏一些兒

微波暗浪！

四

記得那年，

你家辦了嫁妝，

我家備了新房，

只不曾提到我這個新郎；

這十年來，

換了幾朝帝主，

看了多少世態炎涼！

銹了你嫁奩中的刀剪，

改了你多少嫁衣新樣；

更老了你和我人兒一雙！

只有那十年陳的爆竹越陳偏越響！（吾自完婚儀，本

不用爆竹，以其爲十年前所辦故不忍棄。）

五

十年前的想思，剛才完結；

沒滿月的夫妻，又忽忽分別。

昨夜燈前絮語，全不管天上月圓月缺。

今宵別後，便覺得這窗前明月，格外清圓，格外親切。

你該笑我，飽嘗了作客情懷，別離滋味，還逃不了這個

時節！

D——！　新青年六、六、　劉半農

D——！

我已八十多天看不見你。

人家說，這是別離，是悲慘的別離。

那何嘗是？

我們的友誼，若不是泛泛的「仁兄」「愚弟」，

那就憑他怎麼着，你還照舊的天天見我，我也照

舊的天天見你

威權幽禁了你，還沒有幽禁了我，

更幽禁不了無數的同志，無數的後來兄弟。

記着！這都是一個『人』身上的五官百體。

Y－說道：

『只須世界上留得一顆橘子的子，

就不怕他天天喫橘子的肉，

剝橘子的皮！』

D－！

你安心着，我就把這句話來安慰你。

D－！

我那一天不看見你？

那一天不看見那『優待室』中，悶悶的坐着你？

你向我說：

『威權已瞎了我的眼，聾了我的耳。

我現在昏昏沈沈，不知道世間有了些什麼事體，

世界還成了個什麼東西？

但是我沒有聽見北京城裏放大砲，料料來還沒

有什麼人，

捧了誰家的孩子做皇帝！

我又知道我和這『優待室』，還依然存在，料

來哈雷彗星還沒有奮出威權，毀滅這不堪

的大地！

只有一件事可以安慰的，

就是我還有一個心，始終依附着我這可憐的，

殘廢的軀體！』

我說，

D－！

我與你，又何嘗有什麼兩樣？

所不同的－

只是夜間你睡覺，多幾個臭蟲耗子，吵得你心煩
身癢；
日間你開眼，多看見幾個可憐朋友，爲了八元一
月，穿那套黑色衣裳！
這都可以想得，
「他們做的事，他們不知道，」
不值得放在心上。
若說是聾，是瞽，是殘廢，我與你完全一樣。
我便走到天邊，也聽不見什麼好聲音，看不見什
麼好景象。
那「自由」「解放」的好名詞，只在報紙上露着
一露，
「威爾遜砲」中響着一響！
千萬斤的壓力，不依然在我頭上？
手銬脚鐐，不依然在我手上脚上？
聽！
我搖一搖頭，頸上有些什麼，響得「聲調鏗鏘！」
D——！
唯其是這樣，所以我們的責任是這樣。
暫且離開了D——，回頭說些故事，請大家想想：
朋友們！
一天是極熱極悶的天氣，太陽落了，大家走出屋
子，到街上乘涼。
清快啊！
往來不絕的車馬，人人身上，都平分着一份的涼
氣，一份的月光。
偏是一個所在，陰森森的黑漆門旁，
站着幾個「似人，」穿着粗厚的衣服，揹着重笨
的槍。

晴暗淡淡一星燈火，照着他枱頭，閃出幾絲冰冷
的光！
朋友！
就是這樣！
你若要知道門裏是如何景象，先問你自己在什麼
地方？
你若承認這世界是人的世界，便是搗碎了你的心，
也該留一些死灰的感想！
朋友！
「上帝說，「要有光，」就有了光，」
這種荒唐話，誰要他遺留在世上？
你們聽我說：
要有光，應該自己做工，自己造光，
要造太陽的光，不要造螢火的光，
要知道怎樣的造光，且看我的朋友

D——！
他造光的方法是怎樣？
D——！
我不向你多說話了；
若要說下去，便是千言萬語也說不清。
你現在犧牲着，我就請你定着心犧牲；
并且唱一章「犧牲的讚歌」給你聽：——
犧牲的神！犧牲的神！
你是救濟人類的福星！
奮鬥與你結合着，
纔能造成我們的人生，
超度我們的靈魂！
我們天天奮鬥——
奮鬥勝了，一壁得幸福，一壁是犧牲了體力精神；

不幸敗了，犧牲了幸福，還保存了我們人格上的
光明。
無論怎樣，總得犧牲。
犧牲的神！犧牲的神！
我不拜耶穌經上的「神」，不拜古印度人的「晨
」
只在黑夜中遠遠的仰望着你，
笑彌彌，亮晶晶！
亞門！

歡迎仲甫出獄

新生活六、守常

（一）

你今出獄了，
我們很歡喜！
他們的強權和威力，
終竟戰不勝眞理。
什麼監獄什麼死，
都不能屈服了你，
因爲你擁護眞理，
所以眞理擁護你。

（二）

你今出獄了，
我們很歡喜！
相別纔有幾十日，
這裏有了許多更易：
從前我們的「隻眼」忽然喪失，
我們的報便缺了光明減了價值，
如今「隻眼」的光明復啓，
却不見了你和我們手創的報紙！
可是你不必感慨，不必嘆惜，
我們現在有了很多的化身，同時奮起：

好像花草的種子，
被風吹散在遍地。

（三）

你今出獄了，
我們很歡喜！
有許多的好青年，
已經實行了你那句言語：
「出了研究室便入監獄，
出了監獄便入研究室。」
他們都入了監獄，
監獄便成了研究室；
你便久住在監獄裏，
也不須感着孤寂沒有伴侶。

可憐的我（星期評論十、）

季陶

（一）

我往那裏走？
我跪在甚麼人的面前？
我要立起來，
那許多猙獰古怪的偶像，
定要迫我跪在他的面前。
我倒甘心跪在他的面前，
我那個自由高尚的性靈，
定要我去遊極樂的花園！
定要我去住極巍峨的宮殿！

（二）

我跪了許多年！
我已經跪了許多年！
我的足成了風溼麻木！
我的腰好像個弓兒灣！
我願去遊極樂的花園！

我很願住巍峨的宮殿！
我不願再跪在那猙獰古怪的偶像面前！
可憐！可憐！
我的足我的腰，
他就不肯爭一口氣，
他就不肯與我一些兒方便。

（三）

唉！奇怪！
唉！眞奇怪！
我的足不麻木了！
我的腰也直了！
我居然到了自由樂園！
居然進了極巍峨的宮殿！
那些偶像到底離了我的面前！
那些偶像竟自離了我的面前！

（四）

這是翡翠鑲成的迴廊，
這是瑪瑙疊成的台階，
這是珊瑚結構的欄干。
那是麝香一樣的玫瑰，
那是美人一樣的牡丹，
千萬種奇花異草配成個幸福的花壇。
你聽！那不是鸚鵡唱歌麼？
你看！那不是孔雀開屏麼？
眞是大自然的偉觀！
眞是永久平和的團圓！

（五）

唉！爲甚麼都不見了？
噯喲！我的足仍舊麻木了！
噯喲！我的腰依舊是灣！反而更酸！

唉！我依舊跪在偶像的面前！
嗚……嗚……嗚……
我依舊跪在偶像的面前！
剛才所見，
原來都是夢幻！

可愛的你 平民教育四、

璠

他們是愛你想你，
我更愛你想你；
天天將你關在心裏，
像似忘了你偏偏的念着你；
終不能將靈魂來靠近你，
這椿心事，對誰說起？
啊！
你縱飛向天空，
我也能追蹟攀蹤，
總不會照不見你，
憑着我理性的光明。
終究有一天
拚了靈魂，趁了理性的光，
愛你想你的人，
隨着可愛的你
走進了「烏托邦」；
那是真的家鄉。

十二月一日到家 新潮一、二、

胡適

往日歸來，纔望見竹竿尖纔望見吾村，
便心頭亂跳，遙知前面老親望我含淚相迎，
「來了？好呀！」別無他話；說不盡歡喜悲酸無限情。
回首揩乾淚眼，招呼茶飯款待歸人。
今朝—依舊竹竿尖依舊溪橋，—

只少了我的心頭狂跳！—
何消說一世的深恩未報！
何消說十年來的家庭夢想，都一一雲散烟銷！—
只今日到家時，更何處能尋他那一聲『好呀來了！』

悼亡妻 新潮一、二、

顧誠吾

一

自你歿後，伊鬱淒涼，填胸滿意，
不解我處順境的時候，爲什麼愛聽哀情的戲？
那十萬金中，翠蓮自縊未殊，對著兩兒千迴萬轉，不忍捨棄。
說道：「我死之後，一個在前廳叫著爹爹，爹爹有事不能顧及；一個在後園叫著媽媽，可痛你媽媽早已死去。」
我聽了這兩句歷歷下淚。
可怪這些話頭，如今竟作成了讖語，我眞到了這般境地；
我看著兩兒依戀我的態度，實教我無心作事。
長女初在識字，識到「父」「母」，知道他「母」已死。次女方才學話，會說得那「爹爹」「媽媽」，顧盼自喜。
我對他說：「你叫媽媽已遲，可憐你的媽媽已無從叫起。」
他瞪目不懂，猶是叫個不住！

二

自你歿後，媒人來了數十起：
不是東家知算能書，便是西家貌美嫻家事。
鬧得我意緒沈悶，苦無法遣止。
老人責望，總是「有婦侍高堂，有子延宗系。」
家庭養育恩情高厚，我何忍別異？
又旁無弟兄，下無男子，我何能徑情率意？

從前的早婚，和將來的續弦，都似一工人，爲家中服務，
我亦拚做工人，不敢說自由意趣。
但可憐我在你病榻之旁，重重申誓，而今何似？
我亦不敢問你，我到底是有情無義？

十一月九日弔李君鴻儒詩

新聲十一、　吉珊

鴻儒！
「大浪橫波」是你的樂居，
「高山峻嶺」是你的仇敵！
我要盡力改移你的樂居，
剷除你的仇敵！
半缺的月亮將起，
冷冷的風兒繞着我四壁。
蟋蟀的叫聲就這般的唧唧，
他喚醒了我的「黃粱夢」，

教我心中一刻不能忘你！
你一爲同胞犧牲了性命的人；
這誠摯的心，
悲壯的事；
自然永遠留在這四萬萬人的。

弔板垣先生

星期評論九、　季陶

（一）

我正拿着一張報紙看，
忽然「板垣退助逝世」幾個大字，
接到了我的視線。
瞬刻間我的神經，
都被悲哀的感情繞遍。

（二）

可憐你奮鬥了六十年，
你的人道精神，

都被那些惡魔踐踏完。
我想起你們前冷落的情形，
我很代你不平。

(三)

你爲的『土百姓，』
你要援助『穢多，』
你要搭救『非人，』
爲不成援助不成搭救不成，
只造成了一個軍國主義的日本。

(四)

黑越越的芝公園，
冷清清的舊洋房，
靜寂寂的月光，
悶沉沉的鐘聲，
孤單單的白髮老先生。

(五)

你的耳聾了！
你的髮白了！
執權官人發財商人，
他們熱轟轟的享福，
誰記念你這無權無勢的白髮老先生！

(四)

你是一定要死的板垣，
『自由』終是不死的『自由』！
『與』的自由！
不如『求』的自由！
且看！死的板垣活的自由！

哀湘江 星期評論十三、

玄廬

湘江滔滔呀！湘月明。
湘江汩汩呀！湘山青。

湘雲黯黯呀！湘天陰。
湘江評論呀！寂無聲。
唉！可憐那一片書聲，布機聲，打稻聲，邪許聲；
重化作湘江幾千年的怨恨聲。

悼浙江新潮 平民教育八， 予同

（一）

我同你才見面，
我同你就死死訣；
陰沈沈的錢塘江，
藏著慘淡淒涼的秋月。

（二）

不要悲觀，不要心怯，
努力當先覺。
殺不了的靈魂，
我一個別的軀殼！

（三）

抖起你們純潔的精神，
本著你們澎湃的熱血；
就一時不許我明目張膽的做文章，
禁不了我暗地的傳說。

痛苦 新時報（譯Lenaus, Der Schmerz） 劉麟生

這一番悲傷的話。
伊教伊自己驚怕。
伊的眼淚。
洗潑了伊的胭脂面。
生活欺我們太久了。
你看伊的胭脂面也瘦了。
伊一生的兩腮憔悴。

痛苦呀！你如何這樣的靈驗。

一念 有序新青年四、一、 胡適

今年在北京住在竹竿巷，有一天，忽然由竹竿巷想到竹竿尖竹竿尖乃是吾家村後的一座最高山的名字。因此便做了這首詩。

我笑你繞太陽的地球，一日夜只打得一個回旋；
我笑你繞地球的月亮兒總不會永遠團圓；
我笑你千千萬萬大大小小的星球總跳不出自己的軌道線；
我笑你一秒鐘走五十萬里的無線電總比不上我區區的心頭一念，
我這心頭一念：
纔從竹竿巷忽到竹竿尖，
忽在赫貞江上忽到凱約湖邊；
我若真個害刻骨的相思便一分鐘繞遍地球三千萬轉！

想 星期評論十二、 沈玄廬

（一）

平時我想你，
七日一來復。
昨日我想你，
一日一來復。
今朝我想你，
一時一來復。
今宵我想你，
一刻一來復。

（二）

予的自由，不如取的自由。
取得的自由，才是奪不去的自由。
你取你的自由，他奪他的自由。

奪了去放在那裏?
依舊朝朝暮暮，在你心頭在我心頭。

陰曙光一、Translated By Thomes Wolsh from The Spanish of Serofiu Alvaveg Quentero

王統照重譯

一所幽陰的居室在小小的街道，
橄欖式的窗格在花園中微微的含笑。
窗格後却有些玫瑰花兒：
又妙美又華麗在屋子外邊圍繞，
住着一雙快樂的良偶是『天長地久』
他們纏綿的光陰却只在蜜甜中逍遙。
他是常常的愉快沒些兒閑愁煩惱，
他却是永沒有試嘗過這種愛的味道。
晚上啊！—伸開了他的帳幔遮蔽了他倆閑談的清瞭，
自由笑樂的光陰便消磨了。
他倆的戀愛是：—
互相歡喜互相愛好。
設若你能夠對你心愛的人兒道：
『我祝你的平安在今宵。』
他回答是：
『上帝呀，使在這裏這裏是我來睡覺。』

光星期評論十四、

玄廬

一片片烏雲白雲，遮住了月光如鬼。
秋風初起，冷颼颼吹入心苗淘成眼淚。
只一縷天河，疎星幾點，光明還在。
風際林梢，似有人暗中招手，叮嚀忍耐。
忍耐忍耐，怎禁他腕底悲風，胸中熱淚。
唉！烏雲也罷！白雲也罷！那遮不住的月光，
了無罣礙。
空青無際，連你這幾片雲兒，也涵蓋在光明世界

悼趙五貞女士輿中自刎　女界鐘十九、

翼儒

八年十一月六日長沙城忽然開了一個黑暗與光明的仗。

數千年來所聞所見的，無非是從夫從父從子的聲浪。那可惡的聲浪，雖然是響了幾千年。這二萬萬的同胞，却靜悄悄的不聲不響。

趙女士不管他自己的勢力孤單，要去身臨前敵。為甚麽你有那樣大的胆量。

我聽得趙女士的這事發生，新派的人極端稱贊，舊派的人極端的誹謗。

那死的只是一個人，為什麽這個說這樣，那個說那樣？

我是少年　新社會一、

鄭振鐸

（一）

我是少年！我是少年！
我有如炬的眼，我有思想如泉。
我有犧牲的精神，我有自由不可捐。
我過不慣偶像似的流年，我看不慣奴隸的苟安。
我起！我起！我欲打破一切的威權。

（二）

我是少年！我是少年！
我有濆騰的熱血和活潑進取的氣象。
我欲進前！進前！進前！
我有同胞的情感，我有博愛的心田。
我看見前面的光明，
我欲駛破浪的大船，滿載可憐的同胞。
進前！進前！進前！
不管他濁浪排空，狂飆肆虐；
我只向光明的所在，進前！進前！進前！

附錄

我爲什麼要做白話詩？

胡適

（嘗試集自序）

我這三年以來做的白話詩若干首，分做兩集，總名爲嘗試集。民國六年九月我到北京以前的詩爲第一集，以後的詩爲第二集。民國五年七月以前，我在美國做的文言詩詞，刪剩若干首，合爲去國集，印在後面作一個附錄。

我的朋友錢玄同曾替嘗試集做了一篇長序，把應該用白話做文章的道理說得很痛快透切。（見新青年四卷第二號）

我現在自己作序，只說我爲什麼要用白話來做詩。這一段故事，可以算是嘗試集產生的歷史，可以算是我個人主張文學革命的小史。

我做白話文學，起於民國紀元前六年，（丙午）那時我替上海競業旬報做了半部章回小說和一些論文，都是用白話做的。到了第二年，（丁未）我因脚氣病，出學堂養病。病中無事，我天天讀古詩，從蘇武李陵直到元好問，單讀古體詩，不讀律詩。那一年我也做了幾篇詩，內中有一篇五百六十字的遊萬國賽珍會，和一篇近三百字的棄父行。以後我常常做詩，到我往美國時，已做了兩百多首詩了。

我先前不做律詩，因爲我少時不曾學對對子，心裏總覺得律詩難做。後來偶然做了一些律詩，覺得律詩原來是最容易做的玩意兒，用來做應酬朋友的詩，再方便也沒有了。我初做詩，人都說我像白居易一派。後來我因爲要學時髦，也做一番研究杜甫的工夫。但是我讀杜詩，只讀石壕吏，自京赴奉先詠懷一類的詩；律詩中五律我極愛讀，七律中最討厭秋興與一類的詩，常說這些詩文法不通，只有一點空架子。

自民國前六七年到民國前二年（庚戌）可算是一個時代。這個時代已有不滿意於當時舊文學的趨向了。我近來在一本舊筆記裏（名自勝生隨筆，是丁未年記的）翻出這幾條論詩的話：

作詩必使老嫗聽解，固不可。然必使士大夫讀而不能解，亦何故耶？（錄麓堂詩話）

東坡云「詩須有為而作」。元遺山云「縱橫正有凌雲筆，俯仰隨人亦可憐。」（錄南壕詩話）

這兩條上都有密圈，也可見我十六歲時論詩的旨趣了。

民國前二年，我往美國留學。初去的兩年，作詩不過兩三首。民國成立後，任叔永（鴻雋）楊杏佛（銓）同來綺色佳（Ithaca），有了做詩的伴當了。

集中文學篇所說：

明年任與楊，遠道來就我。山城風雪夜，枯坐殊未可。

烹茶更賦詩，有倡還須和。詩爐火灰冷，從此生新火。

都是實在情形。在綺色佳五年，我雖不專治文學，但也頗讀了一些西方文學書籍，無形之中總受了不少的影響，所以我那幾年的詩，胆子已大得多。去國集裏的耶穌誕節歌和久雪後大風作歌都帶有試驗的意味。後來做自殺篇完全用分段作法，試驗的態度更顯明了。藏暉室箚記第三冊有跋自殺篇一段說：

……吾國人作詩每不重言外之意，故說理之作極少。求一樸蒲（Pope）已不可多得，何況華茨活（Words Worth）推貴（Goethe）與白郎吟（Browning）矣。此篇以吾所持

樂觀主義入詩，全篇爲說理之作，雖不能佳，然途徑具在。他日多作之，或有進境耳。（民國三年七月七日）

又跋云：

吾近來作詩，頗有不依人蹊徑，亦不專學一家。命意固無從摹倣，卽字句形式亦不爲古人成法所拘，蓋頗能獨立矣。（七月八日）

民國四年八月，我作一文論「如何可使吾國文言易於教授。」文中列舉方法幾條，還不曾主張用白話代文言。但那時我已明言「文言是半死之文字，不當以教活文字之法教之。」又說：「活文字者日用語言之文字，如英法文是也，如吾國之白話是也。死文字者如希臘拉丁，非日用之語言，已陳死矣。半死文字者，以其中尚有日用之分子在也。如犬字是已死之字，狗字是活字；乘馬是死語，騎馬是活語；故曰半死文字也。」（箚記第九冊）

四年九月十七夜，我因爲自己要到紐約進哥侖比亞大學，梅覲莊（光迪）要到康橋進哈佛大學，故作一首長詩送覲莊。詩中有一段說：

梅君梅君毋自鄙！神州文學久枯餒，百年未有健者起。新潮之來不可止，文學革命其時矣！吾輩勢不容坐視，且復號召二三子，革命軍前杖馬箠，鞭笞驅除一車鬼，再拜迎入新世紀！以此報國未云非，縮地戡天差可儗。梅君梅君毋自鄙！

原詩共四百二十字，全篇用了十一個外國字的譯音。不料這十一個外國字就惹出了幾年的筆戰！任叔永把這些外國字連綴起來，做了一首游戲詩送我：

牛敦愛迭孫，培根客爾文，索虜與霍桑，「烟士披里純」

鞭笞一車鬼，爲君生瓊英。文學今革命，
作歌送胡生。

我接到這詩在火車上依韻和了一首，寄給叔永諸人：

詩國革命何自始？要須作詩如作文。琢鏤粉飾喪元氣，貌似未必詩之純。小人行文頗大胆，諸公一一皆人英，願共僇力莫相笑，我輩不作腐儒生。

梅覲莊誤會我「作詩如作文」的意思，寫信來辯論。他說：

……詩文截然兩途，詩之文字與文之文字，自有詩文以來，無論中西，已分道而馳。……足下爲詩界革命家，改良詩之文字則可；若僅移文之文字於詩，卽謂之革命，謂之改良，則不可也。……以其太易易也。

這封信逼我把詩界革命的方法表示出來。我的答

書不曾留稿，今鈔答叔永書一段如下：

適以爲今日欲救舊文學之弊，預先從滌除「文勝」之弊入手。今人之詩徒有鏗鏘之韻，貌似之辭耳。其中實無物可言。其病根在於重形式而去精神，在於以文勝質。詩界革命當從三事入手：第一，須言之有物；第二，須講求文法；第三，當用「文之文字」時，不可故意避之。三者皆以質救文之弊也。……覲莊所論「詩之文字」與「文之文字」之別，亦不盡當。卽如白香山詩，「城云臣按六典書，任土貢有不貢無。道州水土所生者，只有矮民無矮奴！」李義山詩，「公之斯文若元氣，先時已入人肝脾。」……此諸例所用文字，是「詩之文字」乎？抑「文之文字」乎？又如適贈足下詩，「國事今成遍體瘡，治頭治腳俱

所急。」此中字字皆觀莊所謂「文之文字。」……可知「詩之文字」原不異「文之文字」正如詩之文法原不異文之文法也。………(五年二月二日)

「詩之文字」一個問題也是很重要的問題，因爲有許多人只認風花雪月蛾眉朱顏銀漢玉容等字是「詩之文字」做成的詩讀起來字字是詩仔細分析起來一點意思也沒有。所以我主張用樸實無華的白描工夫，如白居易的道州民，如黃庭堅的題蓮華寺，如杜甫的自京赴奉先詠懷。這類的詩，詩味在骨子裏，在質不在文；沒有骨子的濫調詩人決不能做這類的詩。所以我的第一條件便是「言之有物。」因爲注重之點在言中的「物，」故不問所用的文字是詩的文字還是文的文字。觀莊認做「僅移文之文字於詩，」所以錯了。

這一次的爭論是民國四年到五年春間的事。那時影響我個人最大的，就是我平常說的「歷史的文學進化觀念。」這個觀念是我的文學革命論的基本理論。箚記第十冊有五年四月五日夜所記一段如下：

文學革命，在吾國史上非創見也，即以韻文而論，三百篇變而爲騷，一大革命也。又變爲五言七言，二大革命也。賦變而爲無韻之駢文，古詩變而爲律詩，三大革命也，詩之變而爲詞，四大革命也。詞之變而爲曲，爲劇本，五大革命也。何獨於吾所持文學革命論而疑之？

文亦遭幾許革命矣。自孔子至於秦漢，中國文體始完備。六朝之文……亦有可觀者。然其時駢儷之體大盛，文以工巧雕琢見長，文法遂衰。韓退之所以稱「文起八代之衰」者，其功在於恢復散文，講求文法。此一革命也。……宋人談哲理者，深悟古文之不適於用，於是語錄體興焉。語錄體者禪門所嘗用，以俚語說理紀言。……此亦一大革命也。至元人之小說，此體始臻極盛。……總之文學革命至元代而極盛，其時之詞也，曲也，劇本也，小說也，皆第一流之文學，而皆以俚語爲之。其時吾國眞可謂有一種「活文學」出現，儻此革命潮流，（革命潮流卽天演進化之迹。自其異者言之，謂之革命；是其循序漸進之迹言之，卽謂之進化可也。）不遭明代八股之劫，不遭前後七子復古之劫，則吾國之文學已成俚語的文學，而吾國之語言早成爲言文一致之語言，可無疑也。但丁之創意大利文，卻叟之創英文，路得之創德文，未足獨有千古矣。惜乎五百餘年來半死之古文，半死之詩詞，復奪此「活文字」之席，而「半死文學」遂苟延殘喘以至於今日。……文學革命何可更緩耶，何可更緩耶，

過了幾天，我塡了一首沁園春詞，題目就叫做「誓詩」，其實是一篇文學革命宣言書：

更不傷春，更不悲秋，以此誓詩，任花開也好，花飛也好：月圓固好，日落何悲！我聞之曰，「從天而頌，孰與制天而用之？」更安用爲蒼天歌哭，作彼奴爲！文章革命何疑！且準備搴旗作健兒。要前空千古，下開百世；收他臭腐，還我神奇！爲大中華，造新文學，此業吾曹欲讓誰？詩材料，有簇新世界，供我驅馳！（四月十三日）

這首詞上半所攻擊的是中國文學「無病而呻」的

惡習慣。我是主張樂觀，主張進取的人，故極力攻擊這種卑弱的根性。下半首是去國集的尾聲，是嘗試集的先聲。

以下要說發生嘗試集的近因了。

五年七月十二日，任叔永寄我一首泛湖即事詩。這首詩又惹起一場大筆墨官司，故不能不鈔一段於此：

蕩蕩平湖，漪漪綠波，言櫂輕楫，以滌煩疴，既備我餱，既借我友，容與中流，山光前後，……清風競爽，微雲蔽暄；猜謎賭勝，載笑載言，行行忘遠，息楫崖根。忽逢波怒，鼉掣鯨奔！岸逼流迴，石斜浪翻！翩翩一葉，馮夷所吞，舟則可棄，水則可揭。溼我裳衣，毋他人神。……

我答書說：

……泛湖詩中寫翻船一段，所用字句，皆前人用以寫江海大風浪之套語。足下避自己鑄詞之難，而趨於借用陳套語之易。足下自謂「用力太過」，實則全未用氣力。趨易避難，非不用氣力而何？……再者詩中所用「言」字，（第三句）及「載」字，皆係死字。又如「猜謎賭勝，載笑載言」兩句，上句為二十世紀之活字，下句為三千年前之死句，殊不相稱也。……（七月十六日）

叔永答書，把原詩極力刪改一遍，遠勝原稿了。不料我這幾句話觸怒了一位旁觀的朋友，那時梅覲莊在綺色佳過夏，見了我這些話，因寫信來痛駁我。他說：

足下所自矜為文學革命真諦者，不外乎用「活字」以入文，於叔永詩中稍古之字，皆所不取，以為非「二十世紀之活字」。……夫文字革新，須洗去舊日腔套務去陳言固矣，然此非盡屏古人所用之字而另以俗語白話代之之謂也。……足下以俗語白話爲向來文學上不用之字，驟以入文，似覺新奇而美，實則無永久價值。因其向未經美術家鍛鍊，徒諉諸愚夫愚婦無美術觀念者之口，歷世相傳，愈趨愈下，鄙俚乃不可言。足下得之，乃矜矜自喜，炫爲創獲，異矣。如足下之言，則人間材智，選擇，教育，諸事皆無足算，而村農傖父皆足爲詩人美術家矣。甚至非洲黑蠻南洋土人，其言文無分者，最有詩人美術家之資格矣，至於無所謂「活文字」，亦與足下前此言之。……文學者，世界上最守舊之物也。……

足下乃視改革文字如是之易乎？……

覲莊這封信不但完全誤解我的主張，並且說了一些沒有道理的話，故我做了一首一千多字的白話游戲詩答他。這首詩雖是游戲詩，也有幾段莊重的議論。如第二段說：

文字沒有雅俗，却有死活可道。
古人叫做欲，今人叫做要；
古人叫做至，今人叫做到：
古人叫做溺，今人叫做尿。
本來同是一字，聲音少許變了，
並無雅俗可言，何必紛紛胡鬧，
至於古人叫字，今人叫號；古人懸梁，今人上吊，
古名雖未必不佳，今名又何嘗不妙？
至於古人乘輿，今人坐轎；古人加冠束幘，今人但知戴帽。
若必叫帽作巾，叫轎作輿，豈非張冠李戴，認虎作豹？……

又如第五段說：

今我苦口曉舌，算來却是爲何？
正要求今日的文學大家，
把那些活潑潑的白話，拏來鍛鍊，拏來琢磨，拏來作文演說作曲作歌；
出幾個白話的囂俄，和幾個白話的東坡，
那不是「活文學」是什麼？
那不是「活文學」是什麼？

這一段全是後來用白話作實地試驗的意思。

這首白話游戲詩是五年七月二十二日做的，一半是朋友遊戲，一半是有意試做白話詩。不料梅任兩位都大不以爲然，覲莊來信大罵我，他說：

讀大作如兒時聽蓮花落，眞所謂革盡古今中外詩人之命者。足下誠豪健哉！蓋今之西洋詩界，若足下之張革命旗者，亦數見不鮮。最著者有所謂 Futurism. Imagism. Free Verse. 及各種 decadent movements in literature and arts. 大約皆足下俗話詩之流亞，皆喜以「前無古人後無來者」自豪；皆喜詭立名字，號召徒衆，以眩駭世人之耳目，而已則從中得名士頭銜以去焉。……

信尾又有兩段添入的話：

文章體裁不同。小說詞曲固可用白話，詩文則不可。

今之歐美狂瀾橫流，所謂「新潮流」者，耳已聞之熟矣。誠望足下勿剽竊此種不值錢之新潮流以哄國人也（七月三十日）

這封信頗使我不心服，因爲我主張的文學革命，祇是就中國今日文學的現狀立論；和歐美的文學新潮流並沒有關係；有時借鏡於西洋文學史也不過舊出三四百年前歐洲各國產生「國語的文學」的歷史。因爲中國今日國語文學的需要很像歐洲當日的情形，我們研究他們的成績也許使我們減少一點守舊性，增添一點勇氣。 覲莊硬派一個「剽竊此種不值錢之新潮流以哄國人」的罪名，我如何能心服呢？

叔永信說：

足下此次試驗之結果，乃完全失敗者也，……

……要之，白話自有白話用處，（如作小說演說等，）然不能用之於詩。 如凡白話皆可爲詩，則吾國之京調高腔何一非詩？……… 烏乎！適之！吾人今日言文學革命，乃誠見今日文學有不可不改革之處，非特文言白話之爭而已。

吾嘗默省吾國今日文學界，卽以詩論，其老者，如鄭蘇龕陳伯嚴輩，其人頭腦已死，只可讓其與古人同朽腐。 其幼者，如南社一流人，淫濫委瑣，亦去文學千里而遙。 曠觀國內，如吾儕欲以文學自命者，舍自倡一種高美芳潔之文學，更無吾儕廁身之地。 以足下高才有爲，可爲舍大道不由，而必旁逸斜出，植美卉於荆棘之中哉？……… 唯以此（白話）作詩，則僕期期以爲不可。……… 今且假令足下之文學革命成功，將令吾國作詩者皆高腔京調，而陶謝李杜之流將永不復見於神州，則足下之功又何若哉？………（七月二十四日夜）

覲莊說「小說詞曲固可用白話，詩文則不可。」叔永說「白話自有白話用處（如作小說演說等），然不能用之於詩。」 這是我最不承認的。 我答叔永信中說：

………白話入詩，古人用之者多矣。（此下舉放翁詩及山谷稼軒詞爲例。）………總之，白話之能不能作詩，—此一問題全待吾輩解決。

解決之法，不在乞憐古人，謂古之所無，今必不可有，而在吾輩實地試驗。一次「完全失敗，」何妨再來？若一次失敗，便「期期以爲不可，」此豈科學的精神所許乎？

這一段乃是我的「文學的實驗主義。」我三年來所做的文學事業只不過是實行這個主義。

答叔永書很長，我且再鈔一段：

……今且用足下之字句以述吾夢想中之文學革命曰：

(1)文學革命的手段：要令國中之陶謝李杜敢用白話京調高腔作詩；要令國中之陶謝李杜皆能用白話京調高腔作詩。

(2)文學革命的目的：要令白話京調高腔之中產出幾許陶謝李杜。

(3)今日決用不着「陶謝李杜的」陶謝李杜。若陶謝李杜生於今日，仍作陶謝李杜當日之詩，則決不能更有當日的價值與影響。何也？時代不同也？

(4)吾輩生於今日，與其作不能行遠不能普及的五經兩漢六朝八家文字，不如作家喻戶曉的水滸西遊文字。與其作似陶似謝似李似杜的詩，不如作不似陶謝不似李杜的白話詩。與其作一個學這個學那個的鄭蘇盦陳伯嚴，不如作一個實地試驗，「旁逸斜出，」「舍大道而弗由」的胡適之。

……吾志決矣，吾自此以後，不更作文言詩詞。……(七月二十六日)

這是第一次宣言不做文言詩詞。過了幾天，我再答叔永道：

……古人說，「工欲善其事必先利其器」，文字者，文學之器也。我私心以爲文言決不足爲吾國將來文學之利器。施耐菴曹雪芹諸人已實地證明作小說之利器在於白話。今尚需人實地試驗白話是否可爲韻文之利器耳。……我自信頗能用白話作散文，但尚未能用之於韻文。私心頗欲以數年之力，實地練習之。倘數年之後竟能用文言白話作文作詩，無不隨心所欲，豈非一大快事？我此時練習白話韻文，頗似新闢一文學殖民地。可惜須單身匹馬而往，不能多得同志結伴同行。然吾去志已決。公等假我數年之期。倘此新國盡是沙磧不毛之地，則我或終歸老於「文言詩國」，亦未可知。儻幸而有成，則闢除荊棘之后，當開放門戶，迎公等同來蒞

止耳！「狂言人道臣當烹。我自不吐定不快，人言未足爲輕重。」足下定笑我狂耳。……（八月四日）

這時我已開始作白話詩。詩還不會做得幾首，詩集的名字已定下了。那時我想起陸遊有一句詩，「嘗試成功自古無」，我覺得這個意思恰和我的實驗主義反對，故用「嘗試」兩字作我的白話詩集的名字，要看「嘗試」究竟是否可以成功。那時我已打定主意，努力做白話詩的試驗，心裏只有一點痛苦，就是同志太少了，「須單身匹馬而往」。我平時所最敬愛的一班朋友都不肯和我同去探險。但是我若沒有這一班朋友和我打筆墨官司，我也決不會有這樣的嘗試決心。莊子說得好：「彼出於是，是亦因彼。」我至今回想當時和那班朋友，一日一郵片，三日一長函的樂趣，覺得那眞是人生最不容易有的幸

福。我對於文學革命的一切見解所以能結晶成一種有系統的主張全都是同這一班朋友切磋討論的結果。五年八月十九日我寫信答朱經農(經)中有一段說：

新文學之要點，約有八事：

(一)不用典，

(二)不用陳套語，

(三)不講對仗，

(四)不避俗字俗語，

(五)須講求文法。以上爲形式的一方面。

(六)不作無病之呻吟，

(七)不摹倣古人，須語語有個我在，

(八)須言之有物。以上爲精神(內容)的一方面。

這八條後來成爲一篇文學改良芻議(新靑年第二卷第五號，六年一月一日出版。)即此一端，便可見朋友討論的益處了。

我的嘗試集起於民國五年七月，到民國六年九月我到北京時已成一小冊子了。這一年之中白話詩的試驗室裏只有我一個人。因爲沒有積極的幫助，故這一年的詩無論怎樣大胆，終不能跳出舊詩的範圍。我初回國時，我的朋友錢玄同說我的詩詞「未能脫盡文言窠臼」又說「嫌太文了。」美洲的朋友嫌「太俗」的詩，北京的朋友嫌「太文」了！這話我初聽了很覺得奇怪。後來平心一想，這話眞是不錯。我在美洲做的嘗試集實在不過是能勉强實行了文學改良芻議裏面的八個條件實在不過是一些刷洗過的舊詩；這些詩的大缺點就是仍舊用五言七言的句法。句法太整齊了，就不合語言的自然，不能不有截長補短的毛病，不能不時時犧牲白話的字和白話的文法，來牽就五七言的句法。音節一層，也受很大的影響：第一，整齊劃一的音節沒有變化，實在無味；第二，沒有自然的音節，不能跟着詩料隨時變化。因此，我到北京以後所做的詩，認得一個主義：若要做眞正的白話詩，若要充分採用白話的字，白話的文法，和白話的自然音節，非做長短不一的白話詩不可。這種主義，可叫做「詩體的大解放。」詩體的大解放就是把從前一切束縛自由的枷鎖鐐銬，一切打破：有什麼話，說什麼話；話要怎麼說，就怎麼說。這樣方才可有眞正白話詩，方才可以表現白話的文學可能性。嘗試第二集中的詩雖不能處處做到這個理想的目的，但大致都想朝着這個目的做去。這是第二集和第一集的不同之處。

以上說嘗試集發生的歷史。現在且說我爲什麼趕緊印行這本白話詩集。我的第一個理由是因爲這一年以來白話散文雖然傳播得很快很遠，但是大多數的人對於白話詩仍舊很懷疑；還有許多人不但懷疑，簡直持反對的態度。因此，我覺得這個時候有一兩種白話韻文的集子出來，也許可以引起一般人的注意，也許可以供贊成和反對的人作一種參考的材料。第二，我實地試驗白話詩已經三年了，我很想把這三年試驗的結果供獻給國內的文人，作爲我的試驗報告。我很盼望有人把我試驗的結果仔細研究一番，加上平心靜氣的批評，使我也可以知道這種試驗究竟有沒有成績，用的試驗方法究竟有沒有錯誤。第三，無論試驗的成績如何，我覺得我的嘗試集至少有一件事可以供獻給大家的。這一件可供獻的事就是這本詩所代表的「實驗的精神。」我們這一班人的文學革命論所以同別人不同，全在這一點試驗的態度。近來稍稍明白事理的人，都覺得中國文學有改革的必要。卽如我的朋友任叔永，他也說：「烏乎適之！吾人今日言文學革命乃誠見今日文學有不可不改革之處，非特文言白話之爭而已。」甚至於南社的柳亞子也要高談文學革命。但是他們的文學革命論祇提出一種空蕩蕩的目的，不能有一種具體進行的計畫。他們都說文學革命決不是形式上的革命，決不是文言白話的問題。等到人問他們究竟他們所主張的革命「大道」曰什麼，他們可回答不出了。這種沒有具體計畫的革命，─無論是政治的，是文學的，─決不能發生什麼效果。我們認定文字是文學的基礎，故文學革命的第一步就是文字問題的解決。我們認定「死文字決不能產生活文學」，故我們主張若要造一種活的文學，必須用白話來做文學的工具。我們也知道單有白話未必就能造出新文學；我們也知道新文學必須要有新思想做裏子。但是我們認定白話實在有文學的可能，實在是新文學的唯一利器。我們對於這種懷疑，這種反對，沒有別種法子可以對付，只有一個法子，就是科學家的試驗方法。科學家遇着一個未經實地證明的理論，只可認做一個假設；須等到實地試驗之後，方才用試驗的結果來批評那個假設的價值。我們主張白話可以做詩，因爲未經大家承認，只可說是一個假設的理論。我們這三年來只是想把這個假設用來做種種實地試驗，─做五言詩，做七言詩，做嚴格的詞，做極不整齊的長短句，做有韻詩，做無韻詩，做種種音節上的試驗，─要看白話是不是可以做好詩，要看白話詩是不是比文言詩要更好一點。這是我們這班白話詩人的「實驗精神」。我這本集子裏的話，不問詩的價值如何，總都可以代表這點實驗的精神。

這兩年來北京有我的朋友沈尹默，劉半農，周豫才，，周啓明，傅斯年，俞平伯，康白情，諸位，美國有陳衡哲女士，都努力作白話詩。白話詩的試驗室裏的試驗家漸漸多起來了。但是大多數的文人仍舊不敢輕易「嘗試」。他們永不來嘗試嘗試，如何能判斷白話詩的問題呢？耶穌說得好：「收穫是很多的；可惜做工的人太少了。」所以我大胆把這本嘗試集刻出來，要想把這本集子所代表的「實驗的精神」貢獻給全國的文人，請他們大家都來嘗試嘗試。

我且引我的嘗試篇作這篇長序的結論：

「嘗試成功自古無，」放翁這話未必是。我今爲下一轉語，「自古成功在嘗試」！……莫想小試便成功，那有這樣容易事；有時試到千百回，始知前功盡拋棄。即使如此已無媿，即此失敗便足記。告人「此路不通行，」可使脚力莫枉費。我生求師二十年，今得「嘗試」兩個字。作詩做事要如此，雖未能到頗有志。作「嘗試」歌頌吾師，願吾師壽千萬歲。

談新詩

八年來一件大事

胡適

（一）

民國六年（一九一七）一月一日，新青年第二卷第五號出版，裏面有我的朋友高一涵的一篇文章，題目是『一九一七年豫想之革命』。他豫想從那一年起中國應該有兩種革命：（一）於政治上應揭破賢人政治之眞相，（二）於教育上應打消孔教爲修身大本之憲條』。高君的豫言，不幸到今日還不曾實現。『賢人政治』的迷夢總算打破了一點，但是打破他的，並不是高君所希望的『立於萬民之後，破除自由的阻力，鼓舞自動之機能』的民治國家，乃是一種更壞更腐敗更黑暗的武人政治。至於孔教爲修身大本的憲法，依現今的思想趨勢看來，這個當然不能成立，但是安福部的參議院已通過這種議案了，今年雙十節的前八日北京還要演出一齣徐世昌親自祀孔的好戲！

但是同一號的新青年裏，還有一篇文章，叫做「文學改良芻議」，是新文學運動的第一次宣言書。新青年的第二卷第六號接着發表了陳獨秀君的「文學革命論」。後來七年四月裏又有一篇「建設的文學革命論」（新青年四卷四號）。這一種文學革命的運動，在我的朋友高君做那篇「一九一七年預想的革命」時雖然還沒有響動，但是自從一九一七年一月以來，這種革命——多謝反對黨送登廣告的影響——居然可算是傳播得很廣很遠了。文學革命的目的是要替中國創造一種「國語的文學」——活的文學。這兩年來的成績，國語的散文是已過了辯論的時期，到了多數人實行的時期了。只有國語的韻文——所謂「新詩」——還脫不了許多人的懷疑。但是現在做新詩的人也就不少了。報紙上所載的，自北京到廣州，自上海到成都，多有新詩出現。

這種文學革命預算是辛亥大革命以來的一件大事。現在星期評論出這個雙十節的紀念號，要我做一萬字的文章。我想，與其枉費筆墨去談這八年來的無謂政治，倒不如讓我來談談這些比較有趣味的新詩罷。

（二）

我常說，文學革命的運動，不論古今中外，大概都是從「文的形式」一方面下手，大概都是先要求語言文字文體等方面的大解放。歐洲三百年前各國國語的文學起來代替拉丁文學時，是語言文字的大解放，十八十九世紀法國囂俄英國華次活(Wordsworth)等人所提倡的文學改革，是詩的語言文字的解放，近幾十年來西洋詩界的革命，是語言文字和文體的解放。這一次中國文學的革命運動，也是先要求語言文字和文體的解放。新文學的語言是白話的，新文學的文體是自由的，是不拘格律的。初看起來。這都是「文的形式」一方面的問題，算不得重要。却不知道形式和內容有密切的關係。形式上的束縛，使精神不能自由發展，使良好的內容不能充分表現。若想有一種新內容和新精神，不能不先打破那些束縛精神的枷鎖鐐銬。因此，中國近年的新詩運動可算得是一種「詩體的大解放」。因爲有了這一層詩體的解放，所以豐富的材料，精密的觀察，高深的理想，複雜的感情，方才能跑到詩裏去。五七言八句的律詩決不能容豐富的材料，二十八字的絕句決不能寫精密的觀察，長短一定的七言五言決不能委婉達出高深的理想與複雜的情感。

最明顯的例就是周作人君的「小河」長詩（新青年六卷二號），這首詩是新詩中的第一首傑作，但是那樣細密的觀察，那樣曲折的理想，決不是那舊式的詩體詞調所能達得出的。周君的詩太長了，不便引證，我且舉我自己的一首詩作例：

「應該」

他也許愛我，——也許還愛我，——
但他總勸我莫再愛他。
他常常怪我；
這一天他眼淚汪汪的望着我，
說道：「你如何還想着我？
想着我你又如何能對他？

你要是當眞愛我，
你應該把愛我的心愛他，
你應該把待我的情待他。」

……………

他的話句句都不錯，—
上帝幫我！
我「應該」這樣做！（新青年六，四）

這首詩的意思神情都是舊體詩所達不出的。別的不消說，單說「他也許愛我，—也許還愛我」這十個字的幾層意思，可是舊體詩能表得出的嗎？

再舉康白情君的「窗外」：

窗外的閒月，
緊戀着窗內蜜也似的相思。
相思都惱了，
他還涎着臉兒在牆上相窺。
回頭月也惱了，
一抽身兒就沒了。
月倒沒了，
相思倒覺着捨不得了。（新潮一，四）

這個意思，若用舊詩體，一定不能說得如此細膩。

就是寫景的詩，也須有解放了的詩體，方才可以有寫實的描畫。例如杜甫詩「江天漠漠鳥雙去」，何嘗不好？但他爲律詩所限，必須對上一句「風雨時時龍一吟」，就壞了。簡單的風景，如「高臺芳樹，飛燕蹴紅英，舞困榆錢自落」之類，還可用舊詩體描寫。稍微複雜細密一點，舊詩就不夠用了。如傅斯年君的「深秋永定門晚景」中的一段（新潮一，二）：

……那樹邊，地邊，天邊，

如雲，如水，如烟，
望不斷，一一線。
忽地裏撲喇喇一響，
一個野鴨飛去水塘，
彷彿像大車音浪，漫漫的工—東—噹。
又有種說不出的聲息，若續若不響。

這一段的第六行，若不用有標點符號的新體，决做不到這種完全寫實的地步。又如俞平伯君的「春水船」中的一段（新潮一，四）：

……對面來了個縴人，
拉着個單桅的船徐徐移去。
雙櫓掛在船唇，
皺而開紋，
活活水流不住。
船頭曬着破網。
漁人坐在板上
把刀劈竹拍拍的響。
船口立個小孩，又憨又蠢，
不知為什麼？
笑迷迷痴看那黃波浪。……

這種樸素眞實的寫景詩乃是詩體解放後最足使人樂觀的一種現象。

以上舉的幾個例，都可以表示詩體解放後詩的內容之進步。我們若用歷史進化的眼光來看中國詩的變遷，便可看出自三百篇到現在，詩的進化沒有，回不是跟着詩體的進化來的。三百篇中雖然也有幾篇組織狠好的詩如「氓之蚩蚩」「七月流火」之類；又有幾篇狠妙的長短句，如「坎坎伐檀兮」「園有桃」之類，但是三百篇究竟還不曾完全脫去「風謠體」（Ballad）的簡單組織。直到南方的騷賦文學發生，方才有偉大的長篇韻文。這是一次解放。但是騷賦體用兮些等字煞尾，停頓太多又太長，太不自然了。故漢以後的五七言古詩删除沒有意思的煞尾字，變成貫串篇章，便更自然了。若不經過這一變，決不能產生「焦仲卿妻」「木蘭辭」一類的詩。這是二次解放。五七言成為正宗詩體以後，最大的解放莫如從詩變為詞。五七言詩是不合語言之自然的，因為我們說話決不能詩是五字或七字。句句變為詞，只是從整齊句法變為比較自然的參差句法。唐五代的小詞雖然格調狠嚴格，已比五七言詩自然的多了。如李後主的「剪不斷，理還亂，是離愁。別有一般滋味在心頭。」這已不是詩體所能做得到的了。試看晁補之的「驀山溪」：

……愁來不醉，不醉奈愁何？
汝南周，東陽沈，
勸我如何醉？

這種曲折的神氣決不是五七言詩能寫得出的。又如辛稼軒的「水龍吟」：

……落日樓頭，斷鴻聲裏，江南游子
把吳鉤看了，闌干拍遍，
無人會，登臨意。

這種語氣也決不是五七言的詩體能做得出的。這是三次解放。宋以後，詞變為曲，曲又經過幾多變化，根本上看來，只是逐漸删除詞體裏所剩下的許多束縛自由的限制，又加上詞體所缺少的一些東西如襯字套數之類。但是詞曲無論如何解放，終究有一個根本的大拘束：詞曲的發生是和音樂合併的，後來雖有可歌的詞，不必歌的曲，但是始終不能脫離「調子」而獨立，始終不能完全打破詞調曲譜的限制。直到近來的新詩發生，不但打言五言七言的詩體，並且推翻詞調曲譜的種種束縛；不拘格律，不拘平仄，不拘長短；有什麼題目，做什麼詩；詩該怎樣做，就怎樣做。這是第四次的詩體大解放。這種解放，初看去似乎狠激烈，其實只是三百篇以來的自然趨勢。自然趨勢逐漸實現，不用有意的鼓吹去促進他，那便是自然進化。自然趨勢有時被人類的習慣性守舊性所阻礙，到了該實現的時候均不實現，必須用有意的鼓吹去促進他的實現，那便是革命了。一切文物制度的變化，都是如此的。

（三）

上文我說新體詩是中國詩自然趨勢所必至的，不過加上了一種有意的鼓吹，使他於短時期內猝然實現，故表面上有詩界革命的神氣。這種議論狠可以從現有的新體詩裏尋出許多證據。我所知道的「新詩人」，除了會稽周氏弟兄之外，大都是從舊式詩，詞，曲裏脫胎出來的。沈尹默君初作的新詩是從古樂府化出來的。例如他的「人力車夫」（新青年四，一）：

日光淡淡，白雲悠悠，
風吹薄冰，河水不流。
出門去，雇人力車。街上行人，往來狠多；
車馬紛紛，不知幹些甚麼。
人力車上人，個個穿棉衣，個個袖手坐，還
還覺風吹來，身上冷不過。
車夫單衣已破，他却汗珠兒顆顆往下墮。

稍讀古詩的人都能看出這首詩是得力於「孤兒行」一類的古樂府的。我自己的新詩，詞調狠多、這是不用諱飾的。例如前年做的「鴿子」（新青年四，一）：

雲淡天高，好一片晚秋天氣！
有一羣鴿子，在空中遊戲。
看他們三三兩兩，
迴環來往，
夷猶如意，
忽地裏，翻身映日，白羽襯青天，鮮明無比！

就是今年做詩，也還有帶着詞調的。例如「送任叔永回四川」的第二段（新青年六，五）：

你還記得，我們暫別又相逢，正是赫貞春好？
記得江樓同遠眺，雲影江來，驚起江頭鷗鳥？
記得江邊石上，同坐看潮回，浪聲遮斷人笑？
記得那回同訪友，日暗風橫，林裏陪他驚松嘯？

懂得詞的人，一定可以看出這四長句用的是四種詞調裏的句法。這首詩的第三段便不同了：

這回久別再相逢，便又送你歸去，未免太匆匆！
多虧得天意多留你兩日，使我做得詩成相送。
萬一這首詩趕得上遠行人，
多替我說聲「老任珍重珍重」！

這一段便是純粹新體詩。此外新潮社的幾個新詩人，——傅斯年，俞平伯，康白情，——也都是從詞曲裏變化出來的，故他們初做的新詩都帶着詞或曲的意味音節。此外各報所載的新詩，也狠多帶着詞調的。例太多了，我不能遍舉，且引最近一期的少年中國（第四期）裏周無若的「過印度洋」：

圓天蓋着大海，黑水托着孤舟。
也看不見山，那天邊只有雲頭。
也看不見樹，那水上只有海鷗。
那裏是非洲？那裏是歐洲？
我美麗親愛的故鄉却在腦後！
怕回頭，怕回頭，
一陣大風，雪浪上船頭，
颼颼，吹散一天雲霧一天愁。

這首詩很可表示這一半詞一半曲的過渡時代了。

（四）

我現在且談新體詩的音節。

現在攻擊新詩的人，多說新詩沒有音節。不幸

有一些做新詩的人也以爲新詩可以不注意音節。這都是錯的。攻擊新詩的人，他們自己不懂得「音節」是什麼，以爲句脚有韻，句裏有「平平仄仄」「仄仄平平」的調子，就是有音節了。中國字的收聲不是韻母（所謂陰聲），便是鼻音（所謂陽聲）：除了廣州入聲之外，從沒有用他種聲母收聲的。因此中國的韻最寬，句尾用韻眞是極容易的事，所以古人有「押韻便是」的挖苦話。押韻乃是音節上最不重要的一件事。至於句中的平仄，也不重要。古詩「相去日已遠，衣帶日已緩。浮雲蔽白日，游子不顧返」，音節何等響亮？但是用平仄寫出來便不能讀了：

平平仄仄仄，平仄仄仄仄。
平平仄仄仄，平仄仄仄仄。

又如陸放翁：

我生不逢柏梁建章之宮殿，安得峨冠侍游宴？

頭上十一個字是「仄平仄平仄平仄平平平仄」，讀起來何以覺得音節很好呢？這是因爲一來這一句的自然語氣是一氣貫注下來的；二來呢，因爲這十一個字裏面，逢宮疊韻，梁章疊韻，不逢柏雙聲，建宮雙聲，故更覺得音節和諧了。

詩的音節全靠兩個重要分子：一是語氣的自然節奏，二是每句內部所用字的自然和諧。至於句末的韻脚，句中的平仄，都是不重要的事。語氣自然，用字和諧，就是句末無韻也不要緊。例如上文引晁補之的詞：「愁來不醉，不醉奈愁何？汝南周，東陽沈，勸我如何醉」這二十個字，語氣又曲折，又貫串，故雖隔開五個「小頓」才用韻，讀的人毫不覺得。

新體詩中也有用舊體詩詞的音節方法來做的。最有功效的例是沈尹默君的「三絃」（新青年五，二）：

中午時候，火一樣的太陽，沒法去遮，闌讓他直曬長街上。靜悄悄少人行路；祇有悠悠風來，吹動路旁楊樹。

誰家破大門裏，半院子綠茸茸細草，都浮着閃閃的金光。旁邊有一段低低的土牆，擋住了個彈三絃的人，却不能隔斷那三絃鼓盪的聲浪。

門外坐着一個穿破衣裳的老年人，雙手抱着頭，他不聲不響。

這首詩從見解意境上和音節上看來，都可算是新詩中一首最完全的詩看他第二段「旁邊」以下一長句中旁邊是雙聲；有一是雙聲；段，低，低，的，士，擋，彈，的，斷，盪，的，十一個都是雙聲。這十一個字都是「端透定」（DT）的字，模寫三絃的聲響，又把「擋」「彈」「斷」「盪」四個陽聲的字和七個陰聲的雙聲字（段，低，的，士，的，的，）參錯夾用，更顯出三絃的抑揚頓挫。蘇東坡把韓退之聽琴詩改爲送彈琵琶的的詞，開端是「呢呢兒女語，燈火夜微明，恩寃爾汝來去彈指淚和聲」他頭上連用五個極短促的陰聲字，接着用一個陽聲的「燈」字，下面「恩寃爾汝」之後，又用一個陽聲的「彈」字，也是用同樣的方法。

吾自已也常用雙聲疊韻的法子來幫助音節的和諧，例如「一顆星兒」一首（新青年六，五；又改定稿每週評論三十四）

我愛你這顆頂大的星兒，
可惜我叫不出你的名字。
平日黃昏時候
霞光遮盡了滿天星，
今日風雨後，悶沉沉的天氣，
我望遍天邊，尋不見一點半點光明，
回轉頭來，
只有你在那楊柳高頭依舊亮晶晶地。

這首詩「氣」字一韻以後，隔開三十三個字方才有韻，讀的時候全靠「遍，天，邊，見，點，半，點，」一組疊韻字，（遍，邊，半，明，又是雙聲字，）和「有，柳，頭，舊」一組疊韻字，夾在中間故不覺得，「氣」「地」兩韻隔開那麼遠。

這種音節方法，是舊詩音節的精采，（參看清代周春的「杜詩雙聲疊韻譜，」）能夠容納在新詩裏，固然也是好事。但是這是新舊過渡時代的一種有趣味的研究，並不是新詩音節的全部。新詩大多數的趨勢，依我們看來，是朝着一個公共方向走的。那個方向便是「自然的音節」

自然的音節是不容易解說明白的。我且分兩層說：

第一，先說「節」—就是詩句裏面的頓挫段落。舊體的五七言詩是兩個字爲一「節」的。隨便舉例如下：

風綻—雨肥—梅（兩節半）

江間—波浪—兼天—湧（三節半）

王郎—酒酣—拔劍—斫地—歌—莫哀（五節半）

我生—不逢—柏梁—建章—之—宮殿（五節半）

又—不得—身在—滎陽—京索—間（四節外

兩個破節）

終—不似—一朵—釵頭—顫裊—向人—欹側（六節半）

新體詩句子的長短，是無定的；就是句裏的節奏也是依着意義的自然區分與文法的自然區分來分析的。白話裏的多音字比文言多得多，並且不止兩個字的聯合，故往往有三個字爲一節，或四五個字爲一節的。例如

萬一—這首詩—趕得上—遠行人。

門外—坐着—一個—穿破衣裳的—老年人。

雙手—抱着頭—他—不聲—不響。

旁邊—有一段—低低的—土牆—擋住了個—彈三絃的人。

這一天—他—眼淚汪汪的—望着我！說道—你如何—還想着我。想着我—你又如何—能

新詩集附錄

對他。

第二，再說「音」，－就是詩的聲調。新詩的聲調有兩個要件：一是平仄要自然，二是用韻要自然。白話裏的平仄，與詩韻裏的平仄有許多大不相同的地方。同一個字。單獨用來是仄聲，若同別的字連用，成爲別的字的一部分，就成了狠輕的平聲了。例如「的」字「了」字，都是仄聲字，在「掃雪的人」和「掃淨了東邊」裏，便不成仄聲了。我們檢直可以說，白話詩裏只有輕重高下，沒有嚴格的平仄。例如周作人君的「兩個掃雪的人」（新青年六，三）的兩行。

祝福你掃雪的人！
我從清早起，在雪地裏行走，不得不謝謝你。

「祝福你掃雪的人」上六個字都是仄聲，但是讀

起來自然有個輕重高下。「不得不謝謝你」六個字又都是仄聲，但是讀起來也有個輕重高下。又如同一首詩裏有「一面儘掃，一面儘下」八個字都是仄聲，但讀起來不但不拗口，並且有一種自然的音調。白話詩的聲調不在平仄的調劑得宜，全靠這種自然的輕重高下。

至於用韻一層，新詩有三種自由：第一，用現代的韻，不拘古韻，更不拘平水韻。第二，平仄可以互相押韻，這是詞曲通用的例，不單是新詩如此。第三，有韻固然好，沒有韻也不妨。新詩的聲調既在骨子裏，－在自然的輕重高下，在語氣的自然區分，故有無韻脚都不成問題。例如周作人君的「小河」，雖然無韻，但是讀起來自然有狠好的聲調，不覺得是一首無韻詩。我且舉一段如下：

……小河的水是我的好朋友，
他曾經穩穩的流過我面前，
我對他點頭，他對我微笑，
我願他能夠放出了石堰，
仍然穩穩的流着，
向我們微笑……

又如周君的「兩個掃雪的人」中一段：

……一面儘掃，一面儘下：
掃淨了東邊，又下滿了西邊：
掃開了高地，又填平了窪地。

這是用內部詞句的組織來幫助音節，故讀時不覺得是無韻詩。

內部的組織，——層次，條理，排比，章法，句法，——乃是音節的最重要方法。我的朋友任叔永說，「自然二字也要點研究」。研究並不是叫我們去講究那些「蜂腰」「鶴膝」「合掌」等等玩意兒，乃是要我們研究內部的詞句應該如何組織安排，方才可以發生和諧的自然音節。我且舉康白情君的「送客黃浦」一章（少年中國二）作例。

送客黃浦，
我們都攀着纜，——風吹着我們的衣服，——
站在沒遮闌的船邊樓上。
看看涼月麗空
才顯出淡妝的世界。
我想世界上只有光。
只有花，
只有愛！
我們都談着，——
談到日本二十年來的戲劇，

也談到「日本的光，的花，的愛」的須磨子。

我們都相互的看着。
只是壽昌有所思，
他不看着我，
他不看着別的那一個。
這中間充滿了別意，
但我們只是初次相見。

（五）

我這篇隨便的詩談做得太長了，我且略談「新詩的方法」，作一個總結的收場。

有許多人曾問我做新詩的方法，我說，做新詩的方法根本上就是做一切詩的方法：新詩除了「新體的解放」一項之外，別無他種特別的做法。

這話說得太攏統了。聽的人自然又問，那麼做一切句的方法究竟是怎樣呢？

我說，詩須要用具體的做法，不可用抽象的說法。凡是好詩。都是具體的：越偏向具體的，越有詩意詩味。凡是好詩，都能使我們腦子裏發生一種——或許多種——明顯逼人的影像。這便是詩的具體性。

李義山詩「歷覽前賢國與家，成由勤儉敗由奢，」這不成詩。爲什麼呢？因爲他用的是幾個抽象的名詞，不能引起什麼明瞭濃麗的影像。

「綠垂紅折筍，風綻雨肥梅」是詩。「芹泥垂燕嘴，蕊粉上蜂鬚」是詩。「四更山吐月，殘夜水明樓」是詩。爲什麼呢？因爲他們都能引起鮮明撲人的影像。

「五月榴花照眼明」是何等具體的寫法！

「雞聲茅店月。人跡板橋霜」是何等具體的寫法！

「枯藤老樹昏鴉，小橋流水人家，古道西風瘦馬，夕陽西下，—斷腸人在天涯！」這首小曲裏有十個影像，連成一串，並作一片蕭瑟的空氣，這是何等具體的寫法！

以上舉的例都是眼睛裏起的影像。還有引起聽官裏的明瞭感覺的。例如上文引的「呢呢兒女語，燈火夜微明，恩寃爾汝來去彈指淚和聲」，是何等具體的寫法！

還有能引起讀者渾身的感覺的。例如姜白石詞，「暝入西山，漸喚我一葉夷猶乘興」。這裏面「四個合口的雙聲字，讀的時候使我們覺得身在小舟裏，在鏡平的湖水上盪來盪去。這是何等具體的寫法！

再進一步說，凡是抽象的材料，格外應該用具體的寫法。看詩經的伐檀：

坎坎伐檀兮，寘之河之干兮，
河水淸且漣猗，—
不稼不穡，胡取禾三百廛兮！
不狩不獵，胡瞻爾庭有縣貆兮！

社會不平等是一個抽象的題目，你看他卻用如此具體的寫法。

又如杜甫的石壕吏，寫一天晚上一個遠行客人在一個人家寄宿，偷聽得一個捉差的公人同一個老太婆的談話。寥寥一百二十個字，把那個時代的徵兵制度，戰禍，民生痛苦，種種抽象的材料，都一齊描寫出來了。這時何等具體的寫法！

再看白樂天的新樂府，那幾篇好的—如「折臂翁」「賣炭翁」「上陽宮人」—都是具體的寫法。那幾篇抽象的議論—如「七德舞」「司天臺」

新詩集附錄

「采詩官」——便不成詩了。

舊詩如此，新詩也如此。

現在報上登的許多新體詩，狠多不滿人意的。我仔細研究起來，那些不滿人意詩的犯的都是一個大毛病，——抽象的題目用抽象的寫法。

那些我不認得的詩人做的詩，我不便亂批評。我且舉這個朋友的詩做例。傅斯年君在新潮四號裏做了一篇散文，叫做「一段瘋話」，結尾兩行說道：

我們最當敬從的是瘋子，最當親愛的是孩子。瘋子是我們的老師，孩子是我們的朋友。我們帶着孩子，跟着瘋子走，走向光明去。

有一個人是北京晨報裏投稿，說傅君最後的十六個字是詩不是文。後來新潮五號裏傅君有一首「前倨後恭」的詩，——一首狠長的詩。我看了說，

這是文，不是詩。

何以前面的文是詩，後面的詩反是文呢？因為前面那十六個字是具體的寫法，後面的長詩是抽象的題目用抽象的寫法。我且鈔那詩中的一段，就可明白了：

倨也不由他，恭也不由他，！
你還報他。
向你倨，你也不削一塊肉；向你恭，你也不長一塊肉。
況且終竟他要向你變的，理他呢！

這種抽象的議論是不會成為好詩的。

再舉一個例。新青年六卷四號裏面沈尹默君的兩首詩。一首是「赤裸裸」：

人到世間來，本來是赤裸裸，
本來沒汚濁，却被衣服重重的裹着，這是為

什麽？難道清白的身不好見人嗎？
那汚濁的，裹着衣服，就算免了恥辱嗎？

他本想用具體的比喻來攻擊那些作僞的禮教，不料結果還是一篇抽象的議論，故不成爲好詩。還有一首生機：

刮了兩日風，又下了幾陣雪。
山桃雖是開着却凍壞了夾竹桃的葉。
地上的嫩紅芽，更殭了發不出。
人人說天氣這般冷，草木的生機恐怕都被摧折；
誰知道那路旁的細柳條，他們暗地裏却一齊換了顏色！

這種樂觀，是一個狠抽象的題目，他却用最具體的寫法，故是一首好詩。

我們徽州俗話說人自己稱贊自己的是「台裏喝采」。我這篇談新詩裏常引我自己的詩做例，也不知犯了多少次「戲台裏喝采」的毛病！現在且再犯一次，舉我的「老鴉」做一個「抽象的題目用具體的寫法」的例罷：

我大清早起，
站在人家屋角上啞啞的啼。
人家討嫌我，
說我不吉利。！
我不能呢呢喃喃討人家的歡喜！

詩的精神上之革新

劉半農

朋友！我今所說詩的精神上之革新，實在是復舊因時代有古，今物質有新舊，這個「眞」字却是唯一無二，斷斷不隨着時代變化的，約翰生論此甚詳，介紹其說如下（約翰生博士 Dr. Samuel johnson 生於一七〇九年，歿於一七八四年，爲十八世紀英國文學界中第一人物，性情極僻，行事極奇，我國雜志中，已有譯載其本傳者，茲不詳述。氏所著書以「英文字典」English Dictionary「詩人傳」The Lives of English Poets 兩種，為畢生事業中最大之成就。而「拉塞拉司」Rasselas「人類願望之虛幻」Vanity of Huma Wishes「漫游人」The Rambler 諸書亦多為後世珍重。此段即從「拉塞拉司」中譯出。書為寓言體，言「亞比西尼亞，Abyssinia有一王子，曰拉塞拉司，居快樂谷 The happyvalley 中。谷即人世「極樂地」Paradice 四面均屬高山，有一秘密之門，可通出入。王子居之久，覺此中初無樂趣，與二從者竊門而逃，欲一探世界中何等人最快樂。卒至遍歷地球，所見所遇，在在均是苦惱。然後興盡返谷，恍然於谷名之適當云。」氏思想極高，文筆以時代之關係，頗覺深奧難讀。本篇所譯，力求平順翔實，要以句句不失原義而止。

「應白克曰，「……我輩無論何往，與人說起做詩，大都以為這是世間最高的學問，而且將他看得甚重，似乎人之所能供獻於神的自然界的，便是個詩。然有一事最奇怪，世界不論何國，都說最古的詩便是最好的詩。推究其故，約有數說。一說為別種學問，必須從研究中漸漸得來。詩却是天然的贈品，上天將他一下子送給了人類，故先得者獨勝。又一說謂古時詩家，於榛狉蒙昧之世，忽地做了些靈秀婉妙的詩出來，時人驚喜贊嘆，視為神聖不可幾及。後來信用遺傳，千百年後，仍於人心習慣上享受當初的榮譽。又一說謂詩以描寫自然與情感為範圍，而自然與情感，却始終如一，永久不變的。古時詩人，既將自然界中最足動人之事物，及情感界中最有趣味的遭遇，一概描寫淨盡，半些兒沒有留給後人。後人做詩，便只能跟着古人，將同樣的事物，重新抄錄一通，或將腦筋中同樣的印象，翻個花樣布置一下，自已却造不出什麼此三說，孰是孰非，且不必管總而言之，古人做詩能把自然界據爲已有後人却只有些技術古人心中能有充分的魄力與發明力後人却只有些飾美力與敷陳力了

「我甚喜作詩，且極望微名得與前此至有光榮之諸兄弟（指詩人）並列波斯及阿剌伯諸名人詩集，我已悉數讀過，又能背誦麥加大回教寺中所藏詩卷然仔細想來，徒事摹做有何用處天下豈有從摹做上着力而能成其爲偉人哲士者於是我愛好之心，立即逼我移其心力於自然與人生兩方面以自然爲吾僕役恣吾驅使而以人生爲吾參證者俾是非好壞得有一定之依據自後無論何物倘非親眼見過決不妄爲描寫無論何人倘其意向與欲望尚未爲我深悉我亦決不望我之情感爲彼之哀樂所動

「我既立意要作一詩家遂覺世上一切事物各各爲我生出一種新鮮意趣來我心意所注射的地域亦於剎那間拓充百倍自知無論何事無論何種知識均萬不可輕輕忽過我嘗排列諸名山諸沙漠之印像於眼前而比較其形狀之同異又於心頭作畫凡森林中有一株之樹山谷中有一朵之花但令曾經見過即收入幅中巖石之高頂宮闕之塔尖我以等量之心思觀察之小河曲折細流淙淙我必循河徐步以探其趣夏雲倏起瀰布天空我必靜坐仰觀以窮其變所以然者深知天下無詩人無用之物也而且詩人理想尤須有並蓄兼收的力量事物美滿到極處或慘怖到極處在詩人看來却是習見大而至於不可方物小而至於纖眇不能目視在詩人亦視爲相狎有素不足爲奇故自園中之花森林中之野獸以至地下之礦藏天上之星象無不異類同歸互相聯結而存儲於詩人不疲不累

之心棧中因此等意思大有用處能於道德或宗教的真理上增加力量小之亦可於飾美上增進其自然真確之描畫故觀察愈多所知愈富則做詩時愈能錯綜變化其情景使讀者睹此精微高妙之諷辭心悅誠服於無意中受一絕好之教訓

「因此之故，我於自然界形形色色，無不悉心研習。足跡所至，無一國無一地不以其特有之印像見惠，以益我詩力，而償我行旅之勞。」

拉塞拉司曰，「君游蹤極廣，見聞極博，想天地間必尚有無數事物，未經實地觀察。如我之偶處羣山之中，身既不能外出，耳目所接，悉皆陳舊。欲見所未見，觀察所未觀察而不可得，則如何。」

應白克曰，「詩人之事業，是一般特性的觀察，而非各個的觀察。但能於事物實質上大體之所備具與形態上大體之所表見，見着個真相便好。若見了鬱金香花，便一株株的數他葉上有幾條紋，見了樹林便一座座的量他影子是方是圓，多長多闊，豈非麻煩無謂。即所做的詩，亦只須從大處落墨，將心中所藏自然界無數印像，擇其關係最重而情狀最足動人者，一一陳列出來，使人人見了，心中恍然於宇宙的真際原來如此。至於意識中認為次一等的事物，卻當付諸刪削。然這刪削一事，也有做得甚認真，也有做得甚隨便，這上面就可見出詩人木分。究竟誰是留心，誰是貪懶了。」

「但是詩人觀察自然，還只下了一半功夫，其又一半，即須嫻習人生現象。凡種種社會，種種人物之樂處苦處，須精密調查，而估計其實量，情感的勢力，及其相交相並之結果。須設身處地，以觀察之人心之變化，及其受外界種種影響後所呈之異象，與夫因天時及習俗的勢力所生的臨時變化。自人人活潑康健的兒童時代起，直至其頹唐衰老之日止，均須循其必經之軌道，窮跡其去來之蹤能如是其詩人之資格猶未盡備必須自能剝奪其時代上及國界上牢不可破之偏見而從抽象的及不變的事理中判一是非尤須不為一時的法律與輿論所羈累而超然高舉與至精無上圓妙無極萬古同一的真理相接觸如此，則心中不特不急急以求名且以時人的推譽為可厭只把一生欲得之報酬委之於將來真理彰明之後於是所做的詩對於自然界是個天人聯絡的譯員對於人類是個靈魂中的立法家他本人也脫離了時代與地方的關係獨立太空之中對於後世一切思想與狀況有控御統轄之權

「雖然，詩人所下苦工，猶未盡也不可不習各種語言不可不習各種科學詩格亦當高尚，俾與思想相配至措詞必如何而後雋妙，音調必如何而後和叶，尤須於實習中，求其練熟」…………」

諸君！要研究婦女問題嗎？

請看

「新婦女！」

他是一種按月發行兩次的雜誌，

他的主張是：

(1)掃除現社會上一切阻礙新婦女的思想制度風俗；

(2)研究新婦女應當採取的進行方法和應走的途徑；

(3)選擇介紹歐美各國關於婦女的新思潮，做新婦女的考鏡；

(4)切實調查現社會上各種婦女的生活狀況，做改良的預備。

他的出世期九年一月一日（每月一日十五日發行）

代售處　上海亞東圖書館羣益書局時事新報館

定閱處　上海西門外方斜路一八八號陸秋心轉或務本女校轉

價　目　每冊銅子五枚三十冊以上八折郵費每冊半分

遠處郵定如在半年以內可用半分郵代價

中華民國九年一月初版發行
（每册實銀貳角）

編輯者　上海西門外唐家灣憩園內　新詩社編輯部

發行者　上海西門外唐家灣憩園內　新詩社出版部

印刷者　上海國光書局

代售處　羣益書社
亞東圖書館
時事新報館

新詩集
（第一編）

新詩社編輯部 編

新詩社出版部（上海）一九二〇年一月初版，同年九月再版。原書二十五開。

新詩集

第一編

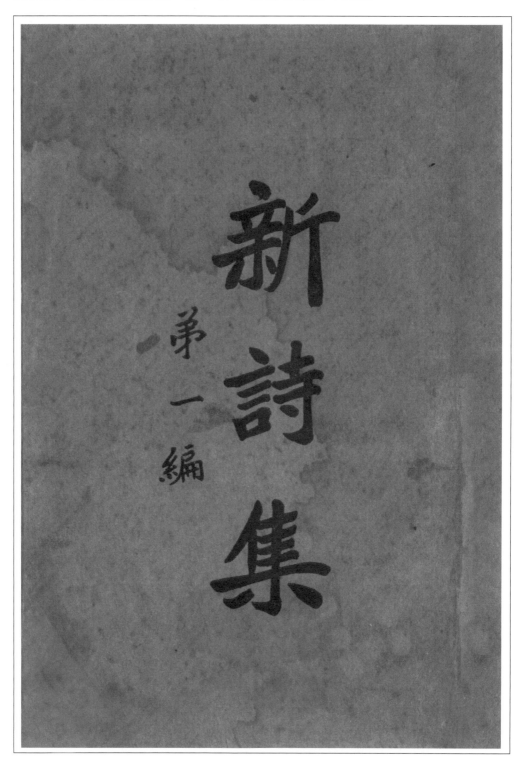

吾們爲什麼要印新詩集？

新詩底價值，有幾層可以包括他—有幾層老詩裏當然也有的—就是：

(1)合乎自然的音節，沒有規律的束縛；

(2)描寫自然界和社會上各種眞實的現象；

(3)發表各個人正確的思想，沒有「因詞害意」的弊病；

(4)表抒各個人優美的情感。

吾們爲什麼要印新詩集？有四種理由，可以回答這個問題：

第一，自從胡適之先生提倡「新詩」以來，一天發達一天，現在幾乎通行全國了！不過大家還有些懷疑；以爲他是粗俗，音節也不講，總比不上老詩底俊逸，清新，鏗鏘，……吾們現在編印這新詩集，一方面就是彙集幾年來大家試驗底成績；一方面使懷疑派知道—新詩雖是只有了二三年—各處做底很多，也很有精彩，將來逐漸研究，一定還要進步！從此以後，他們底懷疑便可「冰消瓦解」了！

第二，俞平伯先生說：「造房子的有圖樣，畫圖畫的有範本，做詩的自然也要尋個老師……」這話是很對的。我們還記得從前學做老詩底時候，什麼千家詩唐詩三百首……都要念熟，纔能試做．現在各處喜歡研究新詩底很多，但是他們很不容易找一個老師去和他們研究。爲什麼呢？因爲他們有經濟上，交通上，時間上種種關係，往往不能夠多看新出版物；那新詩自然接觸得很少了！現在吾們索性把各種書報中底新詩彙印出來，那嗎他們出了極廉的價便可得到許多很有價值的新詩。老師找到了，可常常去研究他，摩練他；吾們底同志愈多，新詩底進步一定愈快了！

第三，吾們因爲要研究新詩，所以無論何種新出版物，都買來看．但是書報很多，翻閱起來很不便利；後來想出一個法子，就是把各種書報中間底新詩，鈔錄下來。用歸納的方法，分類編列，翻閱起來，便利得多了！吾們『以己之心，度人之心』想來大家也有這種情形．所以編印底緣故，是要使大家翻閱便利。

第四，吾們研究新詩，如果要他進步，必定先要用一番工夫批評那已經做好的詩。批評要從比較入手。現在把他分類印好，吾們比較起來也容易一些，那嗎批評起來，更覺高興一些！這新詩集第一編出版以後，讀者諸君有什麼批評，望隨時寄到本社，等到第二編出版底時候吾們可以披露出來再請大家討論。

吾們把詩分做四類：

(1)寫實類　這一類詩，都是描摹社會上種種現象。

(2)寫景類　這一類詩，都是描摹自然界種種景色。

(3)寫意類　這一類詩，都是含蓄很正確，很高尚的思想。

(4)寫情類　這一類詩都是表抒那很優美，很純潔的情感。

在新詩底後面，附錄胡適之先生做的『我爲什麼要做白話詩？』這一篇在新青年六五和解放與改造一・一裏面都發表過的；再有星期評論紀念號裏面登過的『談新詩』也是適之先生做的；再有劉半農先生在新青年三・五上發表的『詩的精神上之革新』一篇因爲這三篇和新詩很有關係，所以都把他印在後面，給大家仔細看看！

現在做有韵底新詩，還沒有一種韻書，所以吾們根據了國音編纂有韵詩底押韵法，在第二編可以發表。

吾們印新詩集的緣故，和那編纂底方法，上面已經說過了。現在再寫一句希望的話，做個結論：

「望大家要努力去做新詩，

新文學萬歲

新詩萬歲！」

新詩集第一編目次

寫實類

新詩集目錄

新詩集目錄

寫情類

新詩集目錄

新詩集

寫實類

人力車夫（新青年四、一、）胡適

『車子！車子！』
車來如飛。
客看車夫，忽然中心酸悲。
客問車夫，『你今年幾歲？拉車拉了多少時？』
車夫答客，『今年十六，拉過三年車了，你老別多疑。』
客告車夫，『你年紀太小，我不坐你車。我坐你車，我心悽慘。』
車夫告客，『我半日沒有生意，我又寒又飢，
你老的好心腸，飽不了我的餓肚皮。
我年紀小拉車，警察還不管，你老又是誰？』
客人點頭上車，說『拉到內務部西！』

賣蘿蔔人（新青年四、五、）劉半農

一個賣蘿蔔人，——很窮苦的，——住在一座破廟裏。
一天，這破廟要標賣了，便來了個警察，說——
『你快搬走！這地方可不是你久住的。』
『是！是！』
他口中應着，心中却想——
『叫我搬到那裏去！』
明天，警察又來催他動身。
他瞪着眼，低着頭，想撒撒手，踏踏脚，却沒說——
『我不搬。』
警察忽然發威，將他攆出門外。
又把他的竈也搗了，一只砂鍋碎作八九片！
他的破席，破被和蘿蔔担，都撒在路上。
幾個紅蘿蔔，滾在溝裏，變成了黑色！
路旁的孩子們，都停了游戲奔來。

新詩集 寫實類

他們也瞪着眼看低着頭想撒撒手踏踏脚却，不做聲！
警察去了，一個七歲的孩子說，
「可怕……」
一個十歲的答道，
「我們要當心別做賣羅蔔的！」
七歲的孩子不懂；
他瞪着眼看低着頭想，却沒撒手，沒踏脚！

鐵匠（新生活三、）

寒星

叮噹！叮噹！
清脆的打鐵聲，
激動夜間沈默的空氣。
小門裏時時閃出紅光，
愈顯得外間黑漆漆地。

二

我從門前經過，
看見門裏的鐵匠。
叮噹！叮噹！
他鎚子一下——一上。
砧上的鐵，
閃作血也似的光
照見他額上淋淋的汗，
和他寬闊的（是裸着的）胸膛。

三

我走得遠了，
還隱隱的聽見
叮噹！叮噹！
朋友！
你該留心聽着這聲音，
他永遠在沈沈的自然界中激蕩！
你若回頭過去，

還可以看見幾點火花
飛射在漆黑的地上！

學徒苦 新青年四、四、 劉半農

學徒苦！學徒進店，爲學行賈。主翁不授書算，但曰「孺子當習勤苦！」朝命掃地開門，暮命臥地守戶；暇當執炊，兼鋤園圃！主婦有兒，曰「孺子爲我抱撫！」呱呱兒啼，主婦震怒，拍案頓足，辱及學徒父母！自晨至午，東買酒漿，西買青菜豆腐。一日三餐，學徒侍食進脯，客來奉茶：主翁倦時，命開烟鋪！復命前門應主顧，後門洗缶滌壺！奔走終日不敢言苦！足底鞋穿，夜深含淚自補！主婦復惜油火，申申咒詛！食則殘羹不飽；夏則無衣，冬衣敗絮！臘月主人食糕，學徒操持臼杵！夏日主人剖瓜盛涼，學徒竈下燒煮！學徒雖無過，「塲頭」下如雨！學徒病，叱曰「孺子敢貪惰作詐語？！」清清河流，鑑別髮縷。學徒淘米河邊，照見面色如土！學徒自念！「生我者，亦父母！」(塲頭)屈食指以叩其腦也或作(栗子)

女丐 每週評論三十、 辛白

一個三十來歲的婦人，跟著我的車子跑，
口中喊道：「老爺！給我一個大！可憐！可憐！」
他一手拿著一枝香烟，一手伸着要錢，
兩腿跑個不歇，跑幾步，叫一聲老爺，吸一口烟。

相隔一層紙 新青年四、一、 劉半農

一、屋子裏攏着爐火，
老爺分付開窗買水菓，
說「天氣不冷火太熱，
別任他烤壞了我。」
二、屋子外躺着一個叫化子，

新詩集 寫實類

咬緊了牙齒對着北風呼「要死」！
可憐屋外與屋裏，
相隔只有一層薄紙！
「雪」七年十二月二十日、新潮一、二、
羅家倫

往日獨登樓，
但見慘淡寒煙，滿城昏黑。
如何隔夜推窗，
變得這般清白！
難道是「大老」愛銀子的精誠，
感動「老天」把世界變成這樣顏色。
還是「老天」不忍地獄沉沉，
也敎他有片時的改革。
猶想暢觀樓中陶然亭下，
有人[illegible]被裘，稱心賞雪；

四

那知道地安門前，皇城根底，
還有人穿著單衣按著肚皮震著牙齒斷斷續續的叫
：
「了……了……不得！」

鄉下人 民國日報 沈玄廬

秋風起，娘兒要添衣，哥兒肚裏飢。
忍餓挑了一擔菜，
黑早挑向街頭賣。
賣菜本來不犯罪。
那裏知道要完稅？
收稅作何用？
罰則飜比菜價貴。
巡丁虎，司事牛，賣菜鄉人是只狗，那裏容得你
開口，不如撇却擔兒走！
未到十步便回首。

頻頻回頭看，脚步漸漸慢！
脚步雖慢不敢停，只想强盜發善心，
哥兒眞是鄉下人。

忙煞！苦煞！快活煞！ 星期評論紀念號

沈玄廬

(一)

無望！無望!!今年收成荒！我只吃糠，他們米滿倉。

(二)

去年如何？年成大熟。租米完過，只夠吃粥。

(三)

採桑養蠶，忍饑耐寒。紡紗織布，一條窮袴。

(四)

千頭萬緒，一手整理。翻新花樣，他人身上衣。

(五)

千門萬戶，一手造成。造成之後，不許我進門。

(六)

饑不如寒；寒不如饑；你埋怨我；我埋怨你。

(七)

勞苦！勞苦!!忙煞煞煞。苦的苦煞！快活的快活煞。

背槍的人 新潮一、五、

仲密

早起出門走過西珠市，
行人稀少店鋪多還關閉。
只有一個背槍的人，
站在大馬路裏。
我本願人「賣劍買牛，賣刀買犢，」
怕見惡很很的兵器。
但他常站在守望面前，
指點道路，維持秩序；

新詩集寫實類

只做大家公共的事。
那背槍的人，
也是我們的朋友，我們的兄弟。

兩個掃雪的人 新青年六、三、

周作人

陰沉沉的天氣，
香粉一般白雪下的漫天遍地。
天安門外白茫茫的馬路上，全沒有車馬蹤跡，
只有兩個人在那里掃雪。
一面儘掃，一面儘下：
掃淨了東邊，又下滿了西邊；
掃開了高地，又塡平了窪地。
粗麻布的外套上已經積了一層雪；
他們兩人還只是掃個不歇。
雪愈下愈大了；

六

上下左右，都是滾滾的香粉一般白雪。
在這中間，彷彿白浪中浮著兩個螞蟻，
他們兩人還只是掃個不歇。
祝福你掃雪的人！
我從清早起，在雪地裏行走，不得不謝謝你。

兩種聲音 新生活十、

子壯

我住在隆福寺街上，天天聽見兩種聲音。
街前是殺猪，街後是什麽兵營。
天明了，兩種聲音起來了：
一種哀鳴的聲音裏頭，不知道天天要送掉多少性命！
那種瀏亮的號聲，我更是怕聽！
因爲這幾年來的荒亂，都是這種嗚都都的號聲造成！
唉！何日何時，這兩種聲音纔能漸漸的減輕！

女工之歌（星期評論二〇、）

康白情

一

我沒穿的，
　工資可以買穿。
我沒吃的，
　工資可以買飯。
我沒住的，
　工資便是房錢。
我再沒氣力，
　他們也給我二角一天。
　　他們惠我惠我！

二

我有兒女，
　他們替我教育。
我有疾病，
　他們給我醫藥。
我有家務，
　他們只要求我十點鐘的工作。
我有孕娠，
　他們把我幾塊錢讓我休息。
　　他們惠我惠我！

八年八月三日、時在上海。

輟了課的第一點鐘裏（時事新報）

沫若

（一）

「先生輟課了！」
我的靈魂拍着手兒叫道：好！好！
我赤足光頭，
　忙向那自然的懷中跑。……

（二）

新詩集 寫實類

我跑到松林裏來散步，
頭上沐着朝陽，
脚下灑着清露。—
冷暖溫涼，
　一樣是自然生趣！

(三)

我走上了後門去路。
我門兒……呀！你才緊緊鎖着。
唉！我們人類爲甚麼要自作囚徒？
啊！那門外的海光遠遠的在向我招呼！

(四)

我要想翻出牆去；
我監禁久了的良心，
　他才有些怕懼。
一對雪白的海鷗正在海上飛舞。

啊！你們眞是自由！
唉！我才是個死囚！

(五)

我踏隻脚在門上，
我正要翻出監牆。
「先生！你別忙！」
背後的人聲
　叫得我面兒發燒，心發慌。

(六)

一個掃除的工人
　挑担灰塵在肩上。
他慢慢的開了後門，
　笑嘻嘻的把我解放……

(七)

我在這海岸上跑去跑來，

我眞快暢。
工人！我的恩人！
我感謝你得深深。
同那海心一樣！

先生和聽差 新潮一、三、 康白情

聽差的手和脚，是先生們的手和脚；
先生們的事，就是聽差的事。
東屋子的先生叫加煤；
西屋子的先生叫淘米；
南屋子的先生叫送信到郵政局；
北屋子的先生又叫掃地。
聽差忙亂了一會兒。
西屋子的先生可不樂意了，——
「聽差！淘米呢？
鬧的幹麽去了！」

聽差回說：
「加着煤呢！
一會兒就去。」
「加煤是事淘米不是事？
眞不是東西！
幹不了就去罷！」
有軟軟的聲兒說，
「兩隻脚！……兩隻手！……
不要也只索去！」
「去麼？——你去！
我有錢買得了鬼挑擔！
你去！你去！……」
停了一會兒，只聽見厨裏淅呀淅的米響，——再沒聽
見一些些兒人的聲氣。

昨日今日 新生活四、 辛白

新詩集寫實類

一

景山之東，御河之北。
我昨日晌午，經過此地，所見的，
糞車，汽車，疲驢，瘦馬，
粉面小脚的婦人，翎頂長辮的男子，井邊飲水的車夫，道旁磕頭的乞丐，掛嚇人刀的警察，背殺人槍的軍人。
又，烈日燒膚，狂塵打面。

二

景山之東，御河之北。
我今日清晨，經過此地，所見的，
輕雲，微露，殘月，疎星，
景山上，翠柏，蒼松，雜花，豐草，御河裏，蓮葉，蓮花，菱，芡，蘋，藻。
幾個離集小鳥，在空際飛鳴，

我一個幽寂的閑人，在樹陰緩步。清香撲鼻，涼風吹衣。

三

景山之東，御河之北，有昨日晌午？有今日清晨？
我願我，此生此後若干年，年若干日，日若干時，時時處處，都是今日清晨，不再有昨日晌午。

雜詩兩首 新潮一、四、

顧誠吾

（一）

我到鄉下去看我家的墳；
覺得山色湖光在在可愛。
到了墳丁家他主人却不在；
祇見一個孩子，約十二歲的左右。
我同他談談，說：「你到過城裏麼？」

他說：「我到過已有三次了。」
「好玩麼？」
「眞好玩！來來往往的人，連連絡絡的不斷。」
「我做了城裏人，到羨慕你鄉下的景緻，想來住下。
」
他說：「陘鄉下人要耕田；要背柴；你會做麼？」
「你怎見得我不會？」
他笑着說道：「你們城裏人，只會吃吃白相相。」

（二）

我到杭州去，恰坐了省長回衙門的一次車；
沿路站了許多的兵警，舉着鎗，吹着喇叭；
小站小接，大站大接，車行遠了，還聽見嗚嗚的餘音。
許多同車的體面人，聚作一團，互相談論！
甲說：「我們今天眞是附驥尾！」
乙說：「我們今天可謂自備資斧接省長！」
丙說：「我們怎能夠有這樣的一日榮！」
丁說：「我也看見舉鎗；也聽見喇叭，便算他們迎接的只是我。」
對面有一個婦人，拿抱在臂上的小孩，聳了兩聳，說：「好看呀！」
遠遠的一座，也有個婦人，說：「那些吹喇叭的，眞像個癡子。」

湖南小兒的話（新青年五、四、）

李劍農

你看？這個小牙俐，（即小孩子）眞有些憨氣！
我說，我們總要愛國；他就問我，愛國作麼哩？
他說，那穿黃衣的國軍，拷壞了他的爹爹；
他說，那穿黃衣的國軍，嚇死了他的挨姐；（讀如的的挨音哀湖南人呼祖母為挨姐）
他說，那穿黃衣的國軍，殺了他的哥哥，又逼死了他的

新詩集 寫實類

姐姐。

我問他道：

「你不要糊說。

這個你那裏怪得——我們的國……」

他又嘮着說：

他單剩了個嫂子，又被穿黃衣的搶着跑了；

他們的院子都被穿黃衣的燒了；

他的一條命都是外國人救出來的；

他如今還住在外國人的家裏。

我正要把話去駁他，

忽聽他哇的一聲「呵呀！」

先生我們趕……趕……趕快躲！

那對面街上有發……發……發了火！

湖南的路上

平民教育二、　俍工

（一）

一二

路邊的房子，燒的燒，倒了的倒了；

房子裏頭的人，不知道那裏去了；

有許多的田沒有耕，有許多的園沒有種；

唉，可惜荒廢了。

（二）

「噯喲！……老總，你老人家不要動手了，

還在你要挑到那裏？我總依從你。」

一挑狠重的擔子，放在大路邊；

兩個穿灰衣的，扭住一個小百姓在那裏打。

京奉車中

新潮一、五，　仲密

兩個不買票的兵——

一個提下車去了，

一個躲在廁所裏。

他事後走出來還是悠然的吸煙捲——

穿着一身擁腫的軍衣，

一雙布底雙臉的鞋子。
我知道在這異樣服裝的底下，
也藏着一樣的精神，
一樣的身體。
我的理性教我恕你愛你，
但我的感情還不容我眞心的愛你。
不幸的人我對你實在抱歉—
還是我的力量還沒有徹底。

夜游上海所見（星期評論二五、）

沈玄廬

（一）

一個胖子說：
「一日三出力，吃飯用大力。」
一個瘦子說：
「無錢買衣食，困覺當將息。」

（二）

求布施！求布施！
飯館子前十字路。
汽車去馬車來；來也無數去無數。
「眼飽肚中饑，口甜心裏苦。」
祇見得吃醉的人，
靠著車窗狂吐。
唉！「燕窩魚翅。」

（三）

有討，討；有要，要；
三個銅圓一頓飽。
冷尖尖的風，黑漆漆的廟，
背貼背兒當棉襖，
糊糊塗塗困一覺。
聽說近來搶刧多，

大概他們不曾夢見過强盜。

（四）

忽被冷風吹醒了，
瑟瑟縮，又困著了！
那一邊是誰家的小女兒，
『來嚧』！『來嚧』！沿街叫！

（五）

風颼颼。叫聲漸漸低，微微帶著抖！
一個老婆子站在馬路中間，惡狠狠東邊張一張又
低下頭來歎了一口氣，再望西邊溜一溜。
夜夜亮的電光，如何還不把他們的心思照透！
此刻沒有什麼汽車馬車出風頭了！
只有紅廟角裏兩個叫化子呼！呼！依舊！

路上所見 新青年六、三、　周作人

北長街的馬路邊，
欹着一副賣豆汁的擔；
挑擔的老人坐在中間，
拏着小刀慢慢的切蘿蔔片。
一個大眼睛，紅面頰，雙了髻的，
四五歲的女兒坐在他側面；
面前放着半盌豆汁，
小手裏捏了一雙竹筷，
張眼看著老人的臉，
向他問些甚麼話。
可惜我的車子過的快，
聽不到他們的話。
但這景象常在我眼前，
宛然一幅 Raphael畫的天使與聖徒的古畫。

東京砲兵工廠同盟罷工 新青年六、六、　周作人

（一九一九年八月至九月）

（一）

他們替他造槍，
他給他們喫飯。
槍也造得夠了，
米也貴得多了：
『請多給我們幾文罷！』
『………』

（二）

『請多給我們幾文罷！
米也貴得多了。
我們飯都不夠喫了，
也不能替你造槍了。』

（三）

槍也造得夠了。
工廠的鍋爐熄了火了，
工人的竈也斷了烟了。
拏槍的人出來了，
造槍的人收了監了。

糊塗帳 新生活一、

辛白

七月一日，忽然地五色旗收藏，龍旗飄蕩。
十二天中，所聞所見的，無非是甚麼老臣微臣，
甚麼天恩聖上。
那滑稽的鎗砲，雖然是響了幾點鐘，這四百萬的
年金，却依然無恙。
我聽說，俄國的鎗斃，德國的逃亡，奧國的流放
。
同是一樣的東西，爲什麼這個這樣，那個那樣？
我眞算不清這一本二十世紀皇帝問題的糊塗帳。

羅威爾 Lowell 的詩 時事新報

吳統續

一。

有錢人的兒子承受了大廈高樓金銀和土地，
他也承繼了柔軟白白的手，
和怕寒荏弱的身體，
他也弱不勝衣：
我想一想，
這樣的遺產，誰也會不想要的。

二。

有錢人的兒子承受了憂慮；
銀行會破產，工場會燒燬，
一朝微風吹起，會社股份，歸了泡影裏；
他的柔軟白白的手不能營生計。

三。

貧窮人的兒子承繼什麼哩？

强的筋肉强的心。
鞏固的氣概同鞏固的身體！
兩手的王，盡他的本分，
做他有用的勞働和工藝：
我想一想，
這樣的遺產，王也會想要的。

窮人的怨恨

平民導報一、

Southey原著　孫祖宏譯

(一)窮人爲什麼要怨恨呢？
這個富人問我—
我講道：「你來，我們出去同行
我將要答你的問。」

(二)現在是晚上，冰凍着街道
看看是很淒涼—
我們衣服穿得是很完全的了，
但是我們還覺得冷。

(三)我們遇到了一個老而禿頭的人，
　他的頭髮是很少并且是很白；
我問他你為什麼要站外面
　在這種冬天的寒夜。
(四)他講道：『天氣是很利害的了—
　但是在家裏又沒有火，又沒有食；
所以要跑出來
　討一點東西吃吃。』
(五)我們遇着了一個赤足的女孩子，
　伊求乞的聲音高而壯；
我問伊你為什麼站在外面
　在這種大風冷的天。
(六)伊講伊的父親在家裏，
　生病睏在床上；
所以要跑出來
　討一點麵包回家。
(七)我們遇到了一個婦人，
　坐在一塊石上休息；
一個嬰兒爬在伊的背上，
　還有一個靠在伊的胸前。
(八)我問伊你為什麼要在這裏，
　當這種冷的天氣；
伊回轉頭來叫那個孩子
　靜着不要躁！
(九)後來伊講伊丈夫的職務，
　在遠處當一個兵。
現在伊要到那塊地方去，
　所以沿路的求乞。
(十)然後我回頭對着富人看，
　他站着了不說話—

新詩集　寫實類

你問我窮人爲什麽怨恨，
　這許多人已經答覆了你的問！

愛情　新潮一、五、　駱啓榮

大雪滿天飛，路上行人絕。
貧婦抱兒道上行，兒在母親懷內泣。
貧婦向兒道，「寶寶沒要緊爸爸給你買餅吃。」
孩子停住哭，向着媽媽笑。
貧婦見兒笑，低頭和兒親個嘴。
他們雖窮苦，終有母子的愛情。

丁巳除夕歌 一名「他與我」 新青年四、三、　陳獨秀

古往今來忽有我。
　歲歲年年都遇視他。
明年我已四十歲。
　他的年紀不知是幾何？
我是誰？
　人人是我都非我。
他是誰？
　人人見他不識他。
他何爲？
　令人痛苦令人樂。
我何爲？
　拿筆方作除夕歌。
除夕歌，歌除夕；
　幾人嬉笑幾人泣；
富人樂洋洋，
　吃肉穿綢不費力。
窮人晝夜忙，
　屋漏被破無衣食。
長夜孤燈愁斷腸。

一八

團圓恩愛甜如蜜，
滿地干戈血肉飛，
孤兒寡婦無人恤。
燭酒香花供竈神，
竈神那為人出力。
磕頭放炮接財神，
財神不管年關急。
年關急，將奈何。
自有我身便有他。
他本非有意作威福，
我自設網羅自折磨。
轉眼春來還去否？
忽來忽去何奔波。
人生是夢。
日月如梭。
我有千言萬語說不出，
十年不作除夕歌。
世界之大大如斗，
裝滿悲歡裝不了他。
萬人如海北京城，
誰知道有人愁似我？

也算是一生（新潮一、五、）施誦華

他家裏有一位如花似玉的美人，時常似嬌如嗔的勸他，說：「我們家裏有的是錢。況且你讀了幾年書，不會沒有名聲，何必再要到別處念書去，辜負了好時光。」

他母親對他說：「我只盼望子子孫孫安安穩穩的守着祖宗的烟火，你是吃墨水的人，總能體貼你娘的心。」

他聽了頻頻點頭，心想：「大米飯是現成的，綢衣

嘗是祖傳的豔福是天賜的：何必再去僕僕風塵辜負
這有限的一生。」
夕陽斜照着三尺孤墳，那裏埋着他的肉身，和天賦
與他的責任！

地獄八景之一

時事新報　遠岫

好啊！好啊！張爺李爺都來了，
快快擺台面，還有趙爺也說他就到，
四圈麻雀，一場撥克，吞雲吐霧，誰知那雅片的
滋味格外好！
這些爺們的心理，我總是懂不到！
但總說他們是體面商人，政團嬌客，督軍代表，
怪不得那些石灰和硃砂粉臉的東西，團團圍住他
們有多少，
有一個一手抓去格格叫，
有幾個抱住好像山鬼跳

更有那憐香惜玉，情深似海的，獨自偏着頭，眼
望着一個「裝潢的茅人」微微笑，
唉！他們怎麼不覺得齒紗發白，四圍雞聲已報曉
？

願意

時事新報　左學訓

莫愁湖邊，
華嚴菴的門前，
一輪破爛的馬車在那裏等候。
馬是那般消瘦；
一腹部兩旁撐起無數的骨頭，兩個眼珠也瞎得幾
乎沒有。
一會兒主人往車上一走！
那趕車的人，便拿起鞭兒，向他身上狠狠的抽！
走！走！
可憐的馬！你本該走！

牛 新潮一、四、　康白情

草兒在前，
鞭兒在後，
那喘吁吁的耕牛，
正擔着犂鳶，
眙着白眼，
帶水拖泥，
在那裏「一東二冬」的走。
「呼！—呼！……」
「牛吔，你不要歎氣。
快犂快犂，
我把草兒給你。」
「呼！—呼！……」
「牛吔，快犂快犂。
你還要歎氣，
我把鞭兒抽你。」
牛呵！—
人呵！
草兒在前，
鞭兒在後。

畫家 新青年六、六　周作人

可惜我並非畫家，
不能將一枝毛筆，
寫出許多情景。—
兩個赤脚的小兒，
立在溪邊灘上，
打架完了，
還同築爛泥的小堰，

新詩集寫實類

車外整天的秋雨，
靠窗望見許多圓笠，—
男的女的都在水田裏，
趕忙著分種碧綠的稻秧。

小胡同口，
放著一副菜担，
滿担是青的紅的蘿蔔，
白的菜紫的茄子；
賣菜的人立著慢慢的叫賣。

初寒的早晨，
馬路旁邊靠著溝口，
一個黃衣服蓬頭的人，
坐著睡覺，—
屈了身子，幾乎疊作兩折。
看他背後的曲線，
歷歷的顯出生活的困倦。

這種種平凡的眞實的印像，
永久鮮明的留在心上；
可惜我並非畫家，
不能用這枝毛筆，
將他明白寫出。

寫景類

暮登泰山西望 少年中國一、五

康白情

一

白日隱約，暮雲把他遮了：
一半給我們看；
一半留着我們想。
日的情麽？
雲的情邪？
誰遮這落日，
莫是崑崙山的雲麽？
破喲！破喲！
莫斯科的曉了，
莫要遮了我要看的莫斯科喲。

二

那不是黃河？
那一條白帶似的不是黃河？
你從崑崙山的溝裏來麽？
崑崙山裏的紅葉，
想已佗帶着一身秋了。

三

斑斕的石色，
赭綠的草色，
和這紅的黃的，紫的藍的，白的，鬆鋪在一地的山花相
襯。一人壓在半天裏。
這麽一塊紫細花的破袖！
花草都含愁，
爲着落日也爲着秋，
我說『不用愁呵！

天地不老我們都不在着花呵!」

日觀峯看浴日　時事新報　康白情

(一)

東望東海，
鯉魚斑的黑雲裏，
橫拖着要白不白的青光一帶。
中懸着一顆明珠兒，
濛空盪漾，
曲折橫斜的來往。
這不要是青鳥麽?
海上的魚麽?
火車上的燈?—汽船上的燈?—這是誰放的玩意兒麽?
升了，升了，
明珠兒也不見了。

山下卻現出了村燈，—一點—二點—三點。
夜還只到一半麽?
這分明是冷清清的晨風，
分明是呼呼的吹着，
分明是帶來的幾句雞聲，
日怎麽還不浮出來喲?

(二)

要白不白的青光成了藕色了。
成了茄色了。
紅了。—赤了。—胭脂了。
鯉魚斑的黑雲，
都染成了一片片的紫金甲了。
星是都不知道那裏去了;
卻展開了大大的一張碧玉。
遠遠的淡淡的幾顆平峯

料必是那海陸的交界。
記得村燈明處，
倒不是幾點村燈，是幾條小河的曲處。
濕津津的小河，
隨意坦着的小河，
蜿蜒的白光—紅光。
髣髴是剛遇了幾根蝸牛經過。
山呀，石呀，松呀，
只迷迷濛濛的抹着這莽蒼的密處。

（三）

哦，—一個峯邊的兩滴流晶紅得要燃起來了！
他們都火熌熌的只管洶湧。
他們都髣髴等着甚麼似的只粘着不動。
他們待了一會兒沒有甚麼也就隱過去了。
他們再等也怕不再來了。

哦，來了！
這邊浮起來了！
一線，—半邊，—大半邊，—
一個凸凹不定的赤晶盤兒只在一塊青白青白的空
中亂閃。
四圍髣髴有些甚麼在波動。
扁呀，圓呀，動盪呀，……
總沒有片刻的停住；
總活潑潑的應着一個活潑潑的人生；
總把他那些關不住了的奇光，
瑣瑣碎碎的散在這些山的，石的，松的上面。

小河 新青年六、二、 周作人

有人問我這詩是什麼體，連自己也回答不出。法國波特來爾(Baudelaire)提倡起來的散文詩，略略相像，不過他是用散文格式，現在却

新詩集　寫景類

一行一行的分寫了。內容大致仿那歐洲的俗歌；俗歌本來最要叶韻，現在却無韻。或者算不詩得，也未可知；但這是沒有什麼關係。

一條小河，穩穩的向前流動。
經過的地方，兩面全是烏黑的土，
生滿了紅的花，碧綠的葉，黃的實。

一個農夫背了鋤來，在小河中間築起一道堰，
下流乾了；上流的水，被堰攔着，下來不得：
不得前進，又不能退回，水只在堰前亂轉。
水要保他的生命，總須流動，便只在堰前亂轉。
堰下的土，逐漸淘去，成了深潭。
水也不怨這堰，——便只是想流動，
想同從前一般，穩穩的向前流動，

一日農夫又來，土堰外築起一道石堰。
土堰坍了；水衝着堅固的石堰，還只是亂轉。
堰外田裏的稻，聽着水聲，皺眉說道，——
「我是一株稻，是一株可憐的小草，
我喜歡水來潤澤我，
却怕他在我身上流過。
小河的水是我的好朋友，
他曾經穩穩的流過我面前，
我對他點頭，他向我微笑，
我願他能夠放出了石堰，
仍然穩穩的流着，
向我們微笑；
曲曲折折的儘量向前流着，
經過的兩面地方，都變成一片錦繡。

他本是我的好朋友；—
只怕他如今不認識我了；
他在地底裏呻吟，
聽去雖然微細，卻又如何可怕！
這不像我朋友平日的聲音，
——被輕風攙着走上沙灘來時，
快活的聲音。
我只怕他這回出來的時候，
不認識從前的朋友了，
便在我身上大踏步過去：
我所以正在這裏憂慮。」
田邊的桑樹，也搖頭說，—
「我生的高，能望見那小河，—
他是我的好朋友，
他送清水給我喝，
使我能生肥綠的葉，紫紅的桑葚，—
他從前清澈的顏色，
現在變了青黑；
又是終年掙扎，臉上添出許多痙攣的皺紋。
他只向下鑽，早沒工夫對了我的點頭微笑，
堰下的潭，深過了我的根了。
我生在小河旁邊，
夏天曬不枯我的枝條，
冬天凍不壞我的根，
如今只怕我的好朋友，
將我帶倒在沙灘上，
拌着他捲來的水草。
我可憐我的好朋友，
但實在也爲我自己着急。

新詩集 寫景類

田裏的草和蝦蟆，聽了兩個的話，
也都歎氣，各有他們自己的心事，
水只在堰前亂轉；
堅固的石堰還是一毫不搖動。
築堰的人，不知到那裏去了？

生機 新青年六、四、 沈尹默

枯樹上的殘雪，漸漸都消化了；那風雪凜冽的餘威，
似乎敵不住微和的春氣。
園裏一樹山桃花，他含着十分生意，密密的開了滿
枝，不但這裏桃花好看，到處園裏都是這般。
刮了兩日風，又下了幾陣雪。
山桃雖是開着，卻凍壞了夾竹桃的葉。 地上的嫩
紅芽。更殭了發不出。
人人說天氣這般冷，草木的生機恐怕都被摧折；誰
知道那路旁的細柳條，他們暗地裏卻一齊換了顏色！

二八

除夕入香山 新潮一、三、 羅家倫

陰風颯颯，寒日茫茫，
靜悄悄的香山寺下，沒有別一個遊人。
祇剩得半座空山，同我悉呀窣的脚步兒相和相應。
野草彫零，模糊了幾條舊徑；
頹垣下的殘雪——
高低靡亂——
裝點出幾處新墳。
緩緩的向前去，忽聽得呼拍拍的一聲，
知是一個小小的山鳥驚人。
鳥呀！我客裏遊山，何忍來驚動你。
鳥獨無聲，棲在枝上，

祇見那被殘雪洗過的松枝又清又冷，

深秋永定門城上晚景（新潮一、二、）

傅斯年

我同兩個朋友，
一齊上了永定門西城頭。
這城牆外面緊貼著一灣碧青的流水；
多少顆樹裝點成多少頃的田疇。
裏面漫瀰的蘆葦，
鑽出幾重曲折的小路，幾堆土隴，幾處僧舍，
陶然亭，龍泉寺，鸚鵡邱。
城下枕著水溝，
裏外通流。
最可愛這田間。
看不到村落，也不見炊煙；
只有兩三房屋，半藏半露，影捉捉在樹裏邊，
雖然是一片平衍，
樹上却顯出無窮的景色，
樹裏也含著不盡的境界，
叢錯，深秀，迴環。
那樹邊，地邊，天邊，
如雲，如水，如烟，
望不斷——一綫。
忽地裏撲喇喇一響，
一個野鴨飛去水塘。
彷彿像大車音波，漫漫的工——東——噹。
又有種說不出的聲息若續若不響，
轉眼西看，
日已臨山。（一）

新詩集 寫景類

起出時離山尚差一竿；
漸漸的去山不遠；
一會兒山頂上只剩火球一線；
忽然間全不見。
這時節反射的紅光上翻。
山那邊岡巒也是雲霞，雲霞也是岡巒；
層層疊疊一片，
費盡了千里眼。
山這邊，紅烟含著青烟，
青烟含著紅烟，
一齊的微微動轉，
似明似暗；
山色似見似不見；——
描不出的層次和新鮮。
只可惜這舍不得的秋郊晚景昏昏沉沉的暗淡；

眼光的圈，匆匆縮短。
樹煙和山煙，遠景帶近景，一塊兒化做濃團。
回身北望，
滿眼的渺茫；
白葦漸漸成黃葦，青塘漸漸變黑塘。
任憑他一草一木，都帶着萎黃——頹唐模糊模樣。
遠遠幾處紅樓頂，幾縷天窗煙，正是吵鬧場繁華地方；
更顯得這裏孤伶悽愴。
荒曠氣象，
城外比不上他蒼涼，

(一)西山去此有三十餘里，故日甫下山，天已昏黑。

公園裏的「二月藍」 新青年五、一、

沈尹默

牡丹過了，接着又開了幾欄紅芍藥 路旁邊的二月

藍仍舊滿地的開着，開了滿地，沒甚希奇，大家都說
　這是鄉下人看的。
我來看芍藥也看二月藍；在社稷壇裏幾百年老松柏
　的面前，露出了鄉下人的破綻。

冬夜之公園　新潮一、二、　俞平伯

「啞！啞！啞！」
隊隊的歸鴉相和相答，
淡茫茫的冷月，
襯著那翠疊的濃林，
越顯得枝柯老態如畫。

兩行柏樹，夾着蜿蜒石路，
覓不見半個人影。
抬頭看月色，
似煙似霧朦朧的罩著。

遠近幾星燈火，
忽黃忽白不定的閃鑠：—
格外覺得清冷。

鴉都睡了；滿園悄悄無聲。
惟有一個，突地裏驚醒，
這枝飛到那枝，
不知為甚的叫得這般淒緊！
聽他彷彿說道，
「歸呀！歸呀！」

老頭子和小孩子　並序。新潮一、三、　傅斯年

這是十五年前的經歷；現在想起，恰似夢景一
般。

三日的雨，

接着一日的晴。
到處的蛙鳴，
野外的綠煙兒濛濛騰騰。

遠遠樹上的「知了」聲；
近旁草底的「蛐蛐」聲；(一)
溪邊的流水花浪花浪；
柳葉上的風聲辟嚦辟嚦；
高粱葉上的風聲沙喇沙喇；
一組天然的音樂到人身上化成一陣淺涼。
野草兒的香，
野花兒的香，
水兒的香，
團團的鑽進鼻去頓覺得此身也在空中蕩漾。

這一幅水接天連晴靄照映的畫圖裏，
只見得一個六七十歲的老頭子，
和一個八九歲的孩子，
立在河岸堤上。
髣髴這世界是他倆人的模樣。

(一)我們家鄉叫「蟋蟀」做「蛐蛐」叫「蟬」做「知了」

無聊

新青年五、一、 劉半農

陰沈沈的天氣，
裏面一座小院子裏楊花飛得滿天，榆錢落得滿地。
外面那大院子裏却開着一棚紫藤花，
花中有來來往往的蜜蜂有飛鳴上下的小鳥有個小銅鈴；
銅鈴繫在籐上。
春風徐徐吹來，銅鈴叮叮噹噹，響個不止，

花要謝了；嫩紫色的花瓣，微風飄細雨似的，一陣陣落
下。

山中 新潮一、四、

顧誠吾

躑躅亂山中，走完了欹嶇的石路！
止在一重門口，此外別無去處。
太陽照着，沒有遮蔽，臉兒紅似火；
沒奈何，輕敲微咳，私下探看，落無人守護。
走進門來，只見半座小山補牆缺，千竿竹筱掩蓋屋宇。
太陽淡淡，竹聲蕭蕭，顯得這裏越靜，─我再也不能離
去。
不知這山何名？他主人何名氏？下回再游時，可能尋至？
整整的呆看兩小時，只覺此心澄清如水，飛動如絲。

春水船 新潮一、四、

俞平伯

太陽當頂，晌午的時分，
春光尋遍了海濱。
微風吹來，
聒碎零亂，又清又脆的一陣。
呀！─原來是鳥─小鳥的歌聲。
我獨自閒步沿着河邊，
看絲絲縷縷層層疊疊，
浪紋如織，
反盪着陽光閃爍，
辨不出高低和遠近，
只覺得一片黃金般的顏色。
對岸的店鋪人家，
來往的帆檣，
和那不盡的樹木房舍，
擺列一線─

新詩集 寫景類

都浸在暖洋洋的空氣裏面。
我只管朝前走：
想在心頭看在眼裏；
細嘗那春天的好滋味。
對面來個縴人，
拉着個單桅的船徐徐移去。
雙槳插在舷唇。
皺面開紋，
活活水流不住。
船頭曬着破網。
漁人坐在板上，
把刀劈竹拍拍的響。
船口立個小孩，又憨又蠢，

不知爲什麼。
笑迷迷痴看那黃波浪。
破舊的船；
襤褸的他倆。
但這種「浮家泛宅」的生涯，
倒是新鮮—乾淨—自由，
和可愛的春光一樣。
歸途望。
遠近的高樓，
密重重的簾幕—
儘低着頭呆呆的想。

春意（二月作）新生活十一、衆士

斜陽半院，松影遮廊，我在水廊上閒坐。

初春天氣，漸覺暖和。
廊下半開凍的方塘，注入淸冷的春水，衝動冰澌，時起微波。
一雙白鴨，洗浴剛罷，站在冰塊上，曬翅刷毛，快活不過。
活潑潑的小阿覩，對着這個景緻，却也半晌不動，一聲不響的伴着我。

山居 曙光一、Helen Unerwood Hoyt 原作

王統照譯

一個青綠的花園，在高高的峯頂，
日光下却有個古折的色雕，
矗立的灰色叢松—安靜而且秀美，
伸展他們的淸思在輭醉的陽光裏。
一陣陣的微風吹掠到山邊，穿過了彎彎曲曲黃褐色的草地，
翻轉在山巔又散入浮雲去，
這地方是知道幽隱的話常常不見了！
却只在安閑的大地中，與友愛的裏深處。

初冬京奉道中 曙光一、二、

王統照

(一)

絲絲的陽光，透出了淸冷的空氣。
回望烟霧迷濛中，却隱藏着一個古舊奇詭神秘汚濁的都市！我年來的生活是在此中！
我這片刻的光陰却脫離了你！

(二)

推窗四望—
但見墜落的枯葉，鋪滿了大地。
淺淺的幾道溝流，却是滿浮了塵滓。
頹廢的古剎。
荒涼的墳墓，

滿眼裏—
蕭條，
殘廢，
都嵌入無盡的天邊裏！

(三)

蕭條，
殘廢，
是世界上的天然景物；
也是新萌芽植根的潛伏勢力。
但待到熙樂的春來
有潤澤的風雨，
有可愛的花樹，
便點綴的眼前萬物都佈滿了美妙，惠愛，愉快，壯麗。

冬夜 社會新聲二、

李書渠

滿天布著黑漆似的烏雲，
什麼星兒？什麼月亮？都被他緊緊密密的遮着。
只有稀稀的幾盞灰色慘淡的路燈，
將這漫沈沈的黑暗點破。
太北風起了，
吹著那電線樹枝發嗚嗚的叫聲。
好像幾個怪獸在空中格鬥。
還有幾處的吠聲。
一起一落的與他應和。
在這寒冷森嚴的夜裏一些人都早已睡了，
路上無一人行走。
那半明半暗的路燈也被風吹熄了幾個。
只聽得嗚聲吠聲，
連續震動人的耳膜。
忽然風中帶來一陣戰淋淋的嫩聲音，
「鹽水花生米喲！」

寫意類

解放　新婦女一、一、　拯圜

（一）

解放在大海旁邊立著，
一羣婦女圍著他說道：
「那邊是平等世界，
吾們可以過去嗎？」
他說：「這樣茫茫的大海，
沒有橋梁，又沒船隻；
—還有人不要你們過去—
你們怎樣過去！」
衆人說：「吾們決定了！
請你指示個方法，
吾們定要過去！」

（二）

解放點頭說道：「有了！有了！
你們就是橋梁，
你們就是船隻；
你們要過去，
就可以過去—
這海上一道白光
何等光明，何等可愛；
便是你們過去的要道。
你們照著這條路前進—努力前進，
不要怕什麼波浪兇惡；
你們便可以過去—便可以穩穩的過去！」
衆人聽了，說道：「好！好！……」

（三）

後面又來了一羣人—不要他們過去的人，
想用很大的勢力，

壓迫他們回去！
但是他們早已過去—早已穩穩的過去！
那歎呼的聲音，
隔著茫茫的大海，
還可以遠遠地聽著！

鳥

新青年六、五、

陳衡哲

狂風急雨，
打得我好苦！
　打翻了我的破巢，
　淋溼了我美麗的毛羽。
我撲折了翅翮，
　睜破了眼珠，
也找不到一個棲身的場所！
窗裏一隻籠鳥，

倚靠着金漆的闌干，
側着眼只是對我看。
我不知道他還是憂愁還是喜歡！
明天一早，
風雨停了。
煦煦的陽光，
　照着那鮮嫩的綠草。
我和我的同心朋友，
　雙雙的隨意飛去；
忽見那籠裏的同胞，
　正撲着雙翼在那裏昏昏的飛繞：—
要想撞破那雕籠，
好出來重做一個自由的飛鳥。

他見了我們，
　忽然止了飛。
對着我們不住的悲啼。
他好像是說：
「我若出了牢籠，
不管他天西地東。
也不管他惡雨狂風，
我定要飛他一個海闊天空！
直飛到筋疲力竭，水盡山窮，
我便請那狂風，
把我的羽毛肌骨，
一絲絲的都吹散在自由的空氣中！」

新光 平民教育二、　德

（一）

一道新光如線，
射在陰沈沈的海面。
我說：「你們看如何？」
他說：「我們看不見。」

（二）

難道不是一樣，
同時射到四面八方。
原來你們帶着「色眼鏡，」
把真實話反道說謊。

（三）

那光漸漸的大了。
射的我，「眼花撩亂，」「手舞足蹈。」
猛回頭看見他們，
天哪眞好！

見火星隨感 星期評論紀念號　仲蘇

遠遠望天空，一星一軌道。

新詩集寫意類

看那近地球的火星，也有些日光返照。
彼中人竊竊含笑；
笑地面的人，究竟爲什麼？各舉各的旗號。
想和他通通奧窔——
休了！休了！
那地面的人類，一些兒也不知道。

毀滅 星期評論十八、

執信

讀胡適之先生詩，忽憶天文學家言，吾人所見星光有數千年前所發者，星光入吾人眼中時，星或已滅矣，戲成此詩。

一個明星離吾們幾千萬億里；
他的光明却常到吾們的眼精裏。
宇宙的力量幾千年前把他毀滅了。
我們眼精裏頭的光明還沒有減少。

你不能不生人，
人就一定長眼睛。
你如何能彀毀滅
這眼睛裏頭的星！
一個星毀滅了，
別個星剛剛團起。
我們的眼睛昏澀了，
還有我們的兄弟我們的兒子！

冬夜 Lenaus Winternight 新時報

劉風生

微風被那嚴寒弄得麻木了。
電片兒在我的脚步前亂舞。
我的鬚顫顫的響我呼出的氣像蒸氣溼了。
只有常常前進。大踏我的步。

這隣近的地方。沉沉寂寂。何等的嚴肅。
月亮兒照耀到那些古松。
古松有老死的顏色。
還彎回他的枝頭到地中。
霜呀。把我的心凍碎罷。
鑽到這狂熱的野心。
使得他有一次的休憩。
好比這一片平原在夜深呢。
一個狠在深林裏咆哮。
母親就將伊兒子喚醒著。
狠來驚破伊的夢。
向伊要血肉的糧食。
風在這兒狂呼。
飛過這雪和冰了。
他猛力的跑說。
醒罷。你呢。去鳴不平罷。
讓你「死而復活」
受野蠻人的苦楚。
讓你同狂風去罷。
到北方玩的伴侶。

威權 每週評論二十八、

適

（一）

威權坐在山頂上，
指揮一班鐵索鎖著的奴隸替他開鑛。
他說：「你們誰敢不盡力做工？
我要把你們怎麼樣就怎麼樣！」

（二）

奴隸們做了一萬年的苦工，
頭頸上的鐵索漸漸的磨斷了。
他們說：「等到鐵索斷時，

我們要造反了！」

(三)

奴隸們同心合力，
一鋤一鋤的掘到山脚底。
山脚底挖空了，
威權倒撞下來，活活的跌死。

樂觀　新生活九、　胡適

一

「這柯大樹很可惡，
他礙着我的路！
來！
快把他斫倒了，
把樹根也掘去。——
哈哈！好了！」

二

大樹被斫做柴燒，
樹根不久也爛完了。
斫樹的人狠得意，
他覺得狠平安了。

三

但是那樹還有許多種子，——
狠小的種子，裹在有刺的殼裏——
上面蓋着枯葉，
葉上堆着白雪。
狠小的東西，誰也不注意。

四

雪消了，
枯葉被春風吹跑了。
那有刺的殼都裂開了，
每個上面長出兩瓣嫩葉，

笑迷迷的，好像是說：
「我們又來了！」

五

過了許多年，
場上田邊，都是大樹了。
辛苦的工人，在樹下乘涼，
聰明的小鳥，在樹上歌唱，—
那斫樹的人到那裏去了？

微光（八月二十六日作）時事新報

王志瑞

天怎麽還不曉？
我却披衣起了。
推開窗子望着天上：
月亮已經去休息了；
太陽却沒我起的早。

可愛的幾點殘星，
掛在空中，微微的照耀。
我說：「好朋友！你們的靈光雖小，
你們此刻算是唯一的神了！」
可愛的幾點殘星，
只是微微的照耀，
好像是對我發愁；又像是望着我笑。

旁的怎麽樣 時事新報

王志瑞

（一）

亂蓬蓬的青草堆裏，
忽然開了幾朵鮮花；
紅的，白的，黃的和紫的，
總是幾朵美麗的花，—總是幾朵野草裏的花！
驀地裏來了個頑童，
把那邊的一朵折下了；

我着實替旁的花着急！
我看他們也像急急着，方總的笑顏似乎變了！
但我不知道他們究竟怎麼樣？

（二）

旁晚時刮了一陣暴風，那邊一隻渡船打翻了—
渡船上載着幾位美麗的神，如今一齊遭刧了！
我見：
旁的渡船的水手都呆看着，——一方又緊緊的把
着舵。
我着實替他們着急！
但不知他們究竟怎麼樣？

（三）

我站在黑暗裏，—幾乎一步也不能走，
遠遠地忽然有幾點燈光照着我，
我便向那光明的所在走。

那知道一盞燈熄了，
我很覺得急着！
覺得前面的光明未免減色了！
又恐怕前面的光明，可不要一齊都熄了！
但是我不知他們究竟怎麼樣？

理想的實現（時事新報）

震勛

（一）　（中秋夜作）

明月！明月！
我盼久了！你爲什麼遲遲的不出？
你有强大的光輝，永久的性質。
你繞地周行，照遍世界，何曾遺漏了一名一物。

（二）

明月！明月！
你圓時少，缺時多；
難得你今宵光明分外，瀉影銀河。

江山換色，人浸月宮波。

（三）

明月！明月！

我歡喜你的照出，我又怕你將沉沒。

我要把萬丈長繩，絆住你當空的皓魄。

只是這根繩兒，我又向何處去尋覓？

鴿子 新青年四、一、 沈尹默

空中飛着一羣鴿子，籠裏關着一羣鴿子，街上走的人，小手巾裏還兜着兩個鴿子。

飛着的是受人家的指使，帶着鞘兒翁翁央央，七轉八轉，遶空飛，人家聽了歡喜。

關着的是替人家作生意，青青白白的毛羽，溫溫和和的樣子，人家看了歡喜，有人出錢便買去，買去喂點黃小米。

只有手巾裏兜着的那兩個，有點難算計。不知他今日是生還是死；恐怕不到晚飯時，已在人家菜碗裏。

老鴉有序 新青年四、二、 胡適

六年十二月十一日，重讀伊伯生之「國民公敵」戲本，欲作一詩題之，是夜夢中作一詩，醒時乃並其題而忘之。出門見空中鴿子，始憶夢中詩為「咏鴉與鴿」，然終不能舉其詞，因為補作成二章。

（一）

我大清早起，

站在人家屋角上啞啞的啼。

人家討嫌我，說我不吉利。——

我不能呢呢喃喃討人家的歡喜！

（二）

天寒風緊，無枝可棲，

我整日裏飛廻，整日裏挨飢，——

我不能替人家帶着鞘兒翁翁央央的飛,
也不能叫人家繫在竹竿頭賺一撮黃小米!

本來干他什麼事 時事新報

王志瑞

（一）

鳥兒好好的在天空裏飛,
他却要費心去捉着,把鳥兒關閉在竹絲籠裏;
魚兒好好的在河水裏游,
他又要費心去捉着,把魚兒強迫到小水缸裏;
蟲兒好好的在青草裏叫,
他更要費心去捉着,把蟲兒禁押在瓦盆兒裏。

（二）

一回兒他望着籠裏,
鳥兒撒了他一面的灰;
他看着缸裏,
魚兒潑了他半身水;
那盆裏唧唧咕咕:……………的聲音,
又鬧得他不耐煩,—不能入睡。

（三）

他就把鳥兒放還天空裏;
把魚兒放還河水裏;
把蟲兒放還青草裏。
我想:那些—!鳥兒,魚兒,蟲兒,—本來干他什麼事?
他起初為什麼要費心那些—?
他以後可再要費心那些—?

耕牛 新青年五、一、

沈尹默

好田地,多黏土;只是無耕牛的苦。
難道這地方的人窮,連耕牛都買不起?
聽說來了許多人,都帶着長刀子。把這個地方的耕牛,個個都嚇死。
嚇死幾個畜生算得甚麽事？ 不過少種幾畝地，少出幾粒米。
好在少米的地方也少人，那裏還愁有人會餓死？

折楊柳 新空氣五、

蜀狂

平坦坦的路，
兩旁栽了青青的楊柳多處，
你看他，
每到春來千絲萬縷，
隨風吹來吹去，
若等他成陰了，
也可以擋一擋驕陽的熱度。
路上的行人，
一樣狂傖，
忍把那青翠的柔條，
攀折個不住，
錯！錯！錯！誤！誤！誤！
你縱不憐他嫩綠新青，
你也要體貼那栽培人的心苦。

霜 南洋十二、

起了一陣虎虎的北風，
不見了青青的樹葉；
只有縱橫的枝幹點綴這嚴肅的景色。
萬物初動的時候，
試向平原望去；
曉風薄霧之外，
却又鋪了一層疏散的白粉。
人哪，
草哪；
都受不起他的嚴寒，

忍不得他的摧殘。
呵！
你眞利害！
你眞猖狂！
但是太陽來了，
你却到那裏去了？

落葉（新生活五、）

寒星

一、樹葉要生長，
風要吹落他，
他如何抵抗？
二、他落在地上，
悉悉索索，
發幾陣悲涼的聲響！
三、他不久要化作泥，
但是留得一刻，

便要發一刻的聲響！
四、那是最後的聲響！
是無可奈何的聲響！
但是——終於是他的聲響！

四月二十五日夜（新青年五、一、）

胡適

吹了燈兒，捲開窗幕，放進月光滿地，
對着這般月色，教我要睡也如何睡。
我待要起來遮着窗兒，推出月光，又覺得有點對他月
亮兒不起。
我整日裏講王充仲身統阿里士多德愛比苦拉斯：
……幾乎全忘了我自己。
多謝你殷勤好月，提起我過來哀怨，過來情思。
我就千思萬想，直到月落天明，也甘心願意。
怕明夜，雲密遮天，風狂打屋，何處能尋你？

從那滾滾大洋的羣衆裏 時事新報

W. Whitmau　沫若譯

（一）

從那滾滾大洋的羣衆裏，緩緩兒的來了一路水，
向我耳邊說道：「我愛你，我不久要死，
我走了遠遠的路程，專誠來見你，專誠來捻你，
我要見你一次，我纔能𣪊死，
因爲我怕死了之後，我會失掉了你．」

（二）

如今我們相遇，我們相見，我們都無恙；
我的愛，你請平平穩穩的回向大洋；
我也是那大洋的一份子，我的愛—
　我們並不會十分相離，
你請看這個大圓—這萬彙的輻湊，何等完全！
那不可抵抗的海雖則要把你我分離，
但只能帶開我們一時—不能帶開我們永遠；
我每逢黎明的時候，我在爲你贊美大空，太洋和
大地，
我的愛，你請忍耐一些兒．
　沫若案：煞尾一句包含着靈魂不滅的意思．
「不可抵抗的海」，便是「死」的修詞．

鷄鳴 新潮一、五、

康白情

「哥哥呀！：：哥哥呀！：：」
幾句鷄聲，幾家從夢中催起。
嫂嫂起來煮飯。
婆婆起來打米。
哥哥起來上坡（一）
妹妹起來梳洗。
他卻老望着那鏡內要明不白的影兒—孄孄地。
又聽一聲聲道「哥哥呀，哥哥呀，」

他說「天下也有叫不醒的哥哥，
那裏都像我們一家子！」

(一)四川方言出門農作統叫做上坡。

人與時 新青年、五、一

唐俟

一人說，將來勝過現在。
一人說，現在遠不及從前。
一人說，什麼？
時道，你們都侮辱我的現在。
從前好的，自己回去。
將來好的，跟我前去。
這這什麼的。
我不和你說什麼。

一隻飛雁 (十一月十三日之夜)時事新報

仲蘇

這時候夜已深了：

寒月照耀，越顯得雲薄天高。
除却遠村犬吠，林間落葉，
還有什麼聲音可以喚醒世界的酣夢啊？
半空裏忽然發了一聲狂叫，
是誰高歌？是誰長嘯？
這要死的寂寞被那悲壯的呼聲驚破了！
波浪似的回聲在空中擺動，好像是衆生呻吟——！
細訴他們的苦惱。
哦！原來是一隻拋棄伴侶的孤雁來了！
他環繞着我盤旋，高叫，
猛可的又飛去了。
唉！雁，你這瀟灑超脫？長征不倦的飛鳥，
眞使我欣喜，羨愛，——忘却萬般的煩惱。

雨 平民教育四、

負雪

雨，你本來是很純潔的東西。

你只為可憐這世界的齷齪，才拚命的下來將他
洗洗。
誰知道這世界的齷齪，不曾被你洗去一點半點？
反將你本來的面目弄得髒消消的。
當初你也不是喜歡齷齪的，
為甚麼今天也跟着旁人在這齷齪堆裏？
唉！原來你是個「同流合污」的賤東西！

雀
黑潮一、二、　友白

一羣小小的麻雀。
他們整日裏飛來飛去東一把麵西一把米。
還有那黃鶯兒翠姑兒也隨著他頑戲。
咳！雀！你們須得準備，天地有清白的日子。
北風起了，大雪紛紛不止；頃刻間天地都變了顏色
咳！雀！………

黴菌
工學一、一、　愛我

黴菌躲在陰溝裏；
黴菌的仇敵，站在太陽裏。
黴菌的仇敵，怒伸兩臂對著黴菌嚷道：
「你出來，我和你決鬥！」
黴菌縮着頭不敢出來，
因為怕太陽。

八年九月三十日

黑雲
工學一、二、　范煜璲

黑雲層層疊疊，
滿天很光亮的星兒遮住了好多。
別的星兒為他的伙伴抱不平，說：
「黑雲！你是好漢也來遮住我！」
黑雲說：「你別大言，你且看我！」
不一會兒，
天上地下不見一點光明；

祇聽得從黑雲縫裏透出來的聲音說：
「自有東風，
把你颳到西方不見影。」

一九一九年十月二日

一夢（女界鐘二十、） 週

同行一個山上，
我最愛的妹子，
忽然掉在山脚裏。
我聽伊叫道
「哥哥！你快來救我！你快來救我！」
我答道：「我一定救你。」
但是我終不能夠跑到山下將伊救起。
我又聽伊叫道：
「哥哥！你快來救我！
現在救我的人，便只有你！」

我又答道：「妹子！我一定要救你！」
但是我若是也到了山脚下，
又怎好救你？
你若要我救你，
你先要自己救自己！你只努力向山上爬起。
到那時候，
吾才好扶着山邊，
伸長兩手將伊救起。

冬天的青菜（新嘤東一、） 季疇

天氣冷了。
每天早上雪白的濃霜，壓着那鮮嫩的青菜上，
好像要滅他生機的模樣。
多謝濃霜。
幸虧你加在身上；
使我心甜，使我肥壯。

寫情類

送任叔永回四川 新青年六、五、

胡 適

你還記得，綺色佳城，凱約嘉湖上，
山前山後，多少瀑泉奇絕，更添上遠遠的一線湖光，
瀑溪的秋色，西山的落日，眞個無雙；
還有那到枕的溜聲，夜夜像驟雨打秋林一樣？
那是你和我最難忘的『第二故鄉』。
如今回想，
往日的交情，舊遊的風景，
一半在你我的詩囊，一半在夢魂中來往。
你還記得，我們暫別又相逢，正是赫貞春好？
記得江樓同遠眺，雲影渡江來，驚起江頭鷗鳥？
記得江邊石上，同坐看潮回，浪聲遮斷人笑？
記得那回同訪友，日暗風橫，林裏陪他聽松嘯？
這回久別再相逢，便又送你歸去，未免太匆匆！
多虧得天意多留你兩日，使我做得成詩相送。
萬一這首詩趕得上遠行人，
多替我說聲『老任珍重珍重！』

送戚君書棟往南洋 時事新報

李魯航

（一）

口棟！我們都是千里來此，爲什麼你又要走？
在這個涼和時候，教我怎忍受這「客裏別友？」
你看那溲溲的北風呀！好像從我們家鄉到此，來送你的行。

（二）

可憐我呀！順着風兒送你，背着風兒想家。

口棟！你是一個中國少年，裝滿了一肚子熱腸。
爲什麼你也要拋了中國，跑到南洋？
咳！不管他南洋北洋東洋西洋，
我們總是要抱定宗旨，往前進行，

(三)

口棟，你看那天上的行雲，天邊的和風。
什麼是有情無情，總歸是來去無蹤。
我盼你自今一別呀！
去做那南洋的晨光，華僑的明星。

想起李陸二君來就胡寫了幾句

給琴蓀少年五、　　党家斌

「鐺鐣」！下堂了！
忽然想起弘毅來，
慢慢下樓來，到十八教室！
名牌上分明有「李樹勳」三個大字，
可是一號坐位早空了！
只呆呆望着那名牌。

天黑，月暗，
只有幾點明星放出冷冷的光來，
一個人獨在那靜悄悄的小巷踱來踱去。
頭昏不能用心，
眼痛不敢看書，
「知己燈下共譚心」豈不快活？
惟一！你走了？
我同誰譚好呢？
我同誰譚好呢？
憑我千呼萬喚，
如何能驚動萬里飄零的你？
琴蓀

在這萬惡社會裏，
幾多青年，
如狂如痴！
他倆實行所信走了！
但是我們倆的發狂問題呢？

答黨君　少年五、

趙世炎

我們倆的發狂問題？
我不懂得；
在別人說我們是狂，
我們却不可承認，
我們只要作「人」—
那管那些？
惟一走了，
你可以同我譚，
弘毅的座位空了，
我的座位有我；
你不過暫時找不着惟一談，
看不見有弘毅的座位。
痛快！痛快！
我在天津河岸送他們，
汽笛一聲—
他們走了！
我不得不已，垂頭喪气，
又回到這「北京首善之區！」

週歲　晨報紀念號

胡適

（祝晨報一年紀念）

唱大鼓的唱大鼓，

變魔法的變戲法；
蓆棚底下許多男女賓，
擠來擠去鬧熱鬧！

老人抱出小孩子，—
這是他的週歲、—
我們大家圍攏來，
給他開慶祝會。

有的祝他多福，
有的祝他多壽；
我與衆客不同，
我獨祝他奮鬥：
「我賀你這一杯酒。

恭喜你奮鬥了一年；
恭喜你戰勝了病魔，
恭喜你平安健全。」

「我再賀你一杯酒，
祝你奮鬥到底：
你要不能戰勝病魔，
病魔會戰勝了你！」

八年十一月二十七日

題女兒小蕙週歲日造象　新青年四

劉半農

二、

你餓了便啼，飽了便嬉，
倦了思眠，冷了索衣；
不餓不冷不思眠，我見你整日笑嘻嘻。
你也有心，只是無牽記；

你也有眼耳鼻舌，只未着色聲香味；
你有你的小靈魂，不登天也不墮地。
呵呵，我羨你！我羨你！
你是天地間的活神仙！
是自然界不加冕的皇帝！

新婚雜詩 新青年四、四、

胡適

一

十三年沒見面的相思於今完結，
把一樁樁傷心舊事從頭細說。
你莫說你對不住我，
我也不說我對不住你，——
且牢牢記取這十二月三十夜的中天明月！

二

回首十四年前；
初春冷雨，
中郎簫鼓，
有個人來看女壻：
匆匆別後，便輕將愛女相許。
只恨我十年作客歸來遲暮；
到如今，待雙雙登堂拜母，
只剩得荒草新墳，斜陽淒楚！
最傷心不堪重聽，燈前人訴，阿母臨終語！

三

與新婦自江村回，至楊桃嶺上望江村廟首諸村及其此諸山，

重山疊嶂，
都似一重重奔濤東向！
山脚下幾個村鄉，
百年來多少興亡，
不堪回想！

新詩集　寫情類

更何須回想！──
想十萬萬年前這多少山這都不過是大海裏一些兒
微波暗浪！

四

記得那年，
你家辦了嫁妝，
我家備了新房，
只不曾捉到我這個新郎；
這十年來，
換了幾朝帝王，
看了多少世態炎涼！
銹了你嫁奩中的刀剪，
改了你多少嫁衣新樣；──
更老了你和我人兒一雙！
只有那十年陳的爆竹，越陳偏越響！（吾自定婚儀本不用爆竹。以其爲十年前所辦故不忍棄。）

五

十年前的想思，剛才完結；
沒滿月的夫妻又忽忽分別。
昨夜燈前絮語，全不管天上月圓月缺。
今宵別後，便覺得這窗前明月，格外淸圓，格外親切。
你該笑我，飽嘗了作客情懷，別離滋味，還逃不了這個時節！

D──！

新青年六、六、　劉半農

D──！
我已八十多天看不見你。
人家說，這是別離，是悲慘的別離。
那何嘗是？
我們的友誼，若不是泛泛的『仁兄』『愚弟』，
那就憑他怎麽着，你還照舊的天天見我，我也照

舊的天天見你：
威權幽禁了你，這沒有幽禁了我，
更幽禁不了無數的同志，無數的後來兄弟。
記着！這都是一個「人」身上的五官百體。
Y——說過：
「只須世界上留得一顆橘子的子，
就不怕他天天喫橘子的肉，
剝橘子的皮！」
D——！
你安心着，我就把這句話來安慰你。
D——！
我那一天不看見你？
那一天不看見那「優待室」中，悶悶的坐着你？
你向我說：
「威權已瞎了我的眼，聾了我的耳。
我現在昏昏沈沈，不知道世間有了些什麼事體，
世界還成了個什麼東西？
但是我沒有聽見北京城裏放大砲，料料來還沒
有什麼人，
捧了誰家的孩子做皇帝！
我又知道我和這「優待室」還依然存在，料
來哈雷彗星還沒有奮出威權，毀滅這不堪
的大地！
只有一件事可以安慰的，
就是我還有一個心，始終依附着我這可憐的，
殘廢的軀體！」
我說，
D——！
我與你，又何嘗有什麼兩樣？
所不同的——

只累夜間你睡覺，多幾們臭蟲耗子，吵得你心煩
　身癢；
日間你開眼，多看見幾個可憐朋友，爲了八元一
　月，穿那套黑色衣裳！
這都可以知得，
　「他們做的事，他們不知道，」。
不值得放在心上。
若說是聾，是聾，是癡麼，我與你完全一樣。
我便走到天邊，也聽不見什麼好聲音，看不見什
　麼好景象。
那『自由』『解放』的好名詞，只在報紙上露着
　一露，
　「威爾遜砲」中響着一響！
千萬斤的壓力，不依然在我頭上？
手銬脚鐐，不依然在我手上脚上？

聽！
我搖一搖頭，頸上有些什麼，響得「聲調鏗鏘！」
D——！
唯其是這樣，所以我們的責任是這樣。

暫且離開了D——，回頭說些故事，請大家想想：
　朋友們！
一天是極熱極悶的天氣，太陽落了，大家走出屋
　子，到街上乘涼。
清快啊！
往來不絕的車馬，人人身上，都平分着一份的涼
　氣，一份的月光。
偏是一個所在，陰森森的黑漆門旁，
站着幾個「似人，」穿着粗厚的衣服，掮着重笨
　的槍。

暗暗淡淡一星燈火，照着他槍頭，閃出幾絲冰冷
　的光！
朋友！
就是這樣！
你若要知道門裏是如何景象，先問你自己在什麼
　地方？
你若承認這世界是人的世界，便是搗碎了你的心，
　也該留一些死灰的感想！
朋友！
　「上帝說，「要有光，」就有了光，」
這種荒唐話，誰要他遺留在世上？
你們聽我說：
要有光，應該自己做工，自己造光，
要造太陽的光，不要造螢火的光，
要知道怎樣的造光，且看我的朋友
D——！
　他造光的方法是怎樣？
D——！
我不向你多說話了；
若要說下去，便是千言萬語也說不清。
你現在犧牲着，我就請你定着心犧牲；
并且唱一章『犧牲的讚歌』給你聽：——
　犧牲的神！犧牲的神！
你是救濟人類的福星！
奮鬥與你結合着，
纔能造成我們的人生，
超度我們的靈魂！
我們天天奮鬥——
奮鬥勝了，一壁得幸福，一壁是犧牲了體力精神；

不幸敗了，犧牲了幸福，還保存了我們人格上的
光明。
無論怎樣，總得犧牲。
犧牲的神！犧牲的神！
我不拜耶穌經上的「神」，不拜古印度人的「晨，
」
只在黑夜中遠遠的仰望着你，
笑瀰瀰，亮晶晶！
亞門！

歡迎仲甫出獄　新生活六、守常

(一)

你今出獄了，
我們很歡喜！
他們的强權和威力，
終竟戰不勝眞理。
什麼監獄什麼死，
都不能屈服了你，
因爲你擁護眞理，
所以眞理擁護你。

(二)

你今出獄了，
我們很歡喜！
相別總有幾十日，
這裏有了許多更易：
從前我們的「隻眼」忽然喪失，
我們的報便缺了光明減了價值，
如今「隻眼」的光明復啓，
却不見了你和我們手創的報紙！
可是你不必感慨，不必嘆惜，
我們現在有了很多的化身，同時奮起：

好像花草的種子，
被風吹散在遍地。

（三）

你今出獄了，
我們很歡喜！
有許多的好青年，
已經實行了你那句言語：
「出了研究室便入監獄，
出了監獄便入研究室。」
他們都入了監獄，
監獄便成了研究室，
你便久住在監獄裏，
也不須愁着孤寂沒有伴侶。

可憐的我（星期評論十、）

季陶

（一）

我往那裏走？
我跪在甚麼人的面前？
我要立起來，
那許多猙獰古怪的偶像，
定要逼我跪在他的面前。
我們甘心跪在他的面前，
我那個自由高尚的性靈，
定要我去遊極樂的花園！
定要我去住巍峨的宮殿！

（二）

我跪了許多年！
我已經跪了許多年！
我的足成了風溼痲木！
我的腰好像個弓兒灣！
我願去遊極樂的花園！

我很願住巍峨的宮殿！
我不願再跪在那猙獰古怪的偶像面前！
可憐！可憐！
我的足我的腰，
他就不肯爭一口氣，
他就不肯與我一些兒方便。

（三）

嗄！奇怪！
咦！眞奇怪！
我的足不麻木了！
我的腰也直了！
我居然到了自由樂園！
居然進了巍峨的宮殿！
那些偶像到底離了我的面前！
那些偶像竟自離了我的面前！

（四）

這是翡翠鑲成的迴廊，
這是瑪瑙疊成的台階，
這是珊瑚結構的欄干。
那是麝香一樣的玫瑰，
那是美人一樣的牡丹，
千萬種奇花異草配成個幸福的花園。
你聽！那不是鸚鵡唱歌麼？
你看！那不是孔雀開屏麼？
眞是大自然的偉觀！
眞是永久平和的團圓！

（五）

咦！爲甚麼都不見了？
噯喲！我的足仍舊麻木了！
噯喲！我的腰依舊是灣！反而更酸！

唉！我依舊跪在偶像的面前！
嗚……嗚……嗚……
我依舊跪在偶像的面前！
剛才所見，
原來都是夢幻！

可愛的你 平民教育四、

璠

他們是愛你想你，
我更愛你想你；
天天將你關在心裏，
像似忘了你偏偏的念着你；
終不能將靈魂來靠近你，
這樁心事，對誰說起？
啊！
你縱飛向天空，
我也能追蹟攀蹤，
總不會照不見你，
憑着我理性的光明。
終究有一天
拚了靈魂，趁了理性的光，
愛你想你的人，
隨着可愛的你
走進了「烏托邦」；
那是眞的家鄉。

十二月一日到家 新潮一、二、

胡適

往日歸來，纔望見竹竿尖，纔望見吾村，
便心頭亂跳，遙知前面，老親望我，含淚相迎。
「來了？好呀！」別無他話，說不盡歡喜悲酸無限情。
回首揩乾淚眼，招呼茶飯，款待歸人。
今朝——依舊竹竿尖，依舊溪橋，——

只少了我的心頭狂跳！—
何消說一世的深恩未報！
何消說十年來的家庭夢想，都一一雲散烟銷！—
只今日到家時，更何處能尋他那一聲「好呀來了！」

悼亡妻 新潮一、二、

顧誠吾

一

自你歿後，伊鬱淒涼，塡胸滿意，
不解我處順境的時候，爲什麼愛聽哀情的戲？
那十萬金中翠蓮自縊未殊，對著兩兒千迴萬轉，不忍捨棄。
說道「我死之後，一個在前廳叫著爹爹，爹爹有事不能顧；及一個在後園叫著媽媽，可痛你媽媽早已死去。」
我聽了這兩句，屢屢下淚。
可怪這些話頭，如今竟作成了讖語，我眞到了這般境地；
我看著兩兒依戀我的態度，實敎我無心作事。
長女初在識字，識到「父」「母」，知道他「母」已死。次女方才學話，會說得那「爹爹」「媽媽」，顧盼自喜。
我對他說「你叫媽媽已遲，可憐你的媽媽已無從叫起。」
他瞪目不懂，猶是叫個不住！

二

自你歿後，媒人來了數十起：
不是東家知算能書，便是西家貌美嫻家事。
鬧得我意緒沈悶，若無法遣止。
老人責望總是「有婦侍高堂，有子延宗系。」
家庭養育恩情高厚，我何忍別異？
又旁無弟兄，下無男子，我何能徑情牽意？

從前的早婚，和將來的續弦，都似一工人，爲家中服務；
我亦祇做工人，不敢說自由意趣。
但可憐我在你病榻之旁，重重申誓，而今何似？
我亦不敢問你，我到底是有情無義？

十一月九日弔李君鴻儒詩

新聲十一、　吉珊

鴻儒！
「大浪橫波」是你的樂居，
「高山峻嶺」是你的仇敵！
我要盡力改移你的樂居，
剷除你的仇敵！
半缺的月亮將起，
冷冷的風兒繞着我四壁。
蟋蟀的叫聲就這般的喞喞，
他喚醒了我的「黃粱夢」，
教我心中一刻不能忘你！
你——爲同胞犧牲了性命的人；
這誠摯的心，
悲壯的事；
自然永遠留在這四萬萬人的。

弔板垣先生

星期評論九、　季陶

（一）

我正拿着一張報紙看，
忽然「板垣退助逝世」幾個大字，
接到了我的視線。
瞬刻間我的神經，
都被悲哀的感情繞遍。

（二）

可憐你奮鬥了六十年，
你的人道精神，

都被那些惡魔踐踏完。
我想起你們前途的情形，
我很代你不平。

(三)

你為的「土百姓，」
你要援助「穢多，」
你要搭救「非人，」
為不成援助不成搭救不成，
只造成了一個軍國主義的日本。

(四)

黑越越的老公園，
冷清清的舊洋房，
靜寂寂的月光，
悶沉沉的鐘聲，
孤單單的白髮老先生。

(五)

你的耳聾了！
你的髮白了！
執權官人發財商人，
他們熱轟轟的享福，
誰記念你這無權無勢的白髮老先生！

(四)

你是一定要死的板垣，
「自由」終是不死的「自由」！
「與」的自由！
不如「求」的自由！
且看！死的板垣活的自由！

哀湘江 星期評論十三、

玄廬

湘江滔滔呀！湘月明。
湘江汨汨呀！湘山青。

湘雲黯黯呀！湘天陰。
湘江評論呀！寂無聲。
唉！可憐那一片書聲，布機聲，打稻聲，邪許聲
；
重化作湘江幾千年的怨恨聲。

悼浙江新潮 平民教育八，予同

（一）

我同你才見面，
我同你就死死訣；
陰沈沈的錢塘江，
颼颼慘淡淒涼的秋月。

（二）

不要悲觀，不要心怯，
努力爲先覺。
殺不了的靈魂，
我一個別的軀殼！

（三）

抖起你們純潔的精神，
本著你們澎湃的熱血；
就一時不許我明目張膽的做文章，
禁不了我暗地的傳說。

痛苦 新時報（譯Lenaus, Der Schmerz） 劉麟生

這一番悲傷的話。
伊教伊自己驚怕。
伊的眼淚。
洗溼了伊的胭脂面。
生活欺我們太久了。
你看伊的胭脂面也瘦了。
伊一生的兩腮憔悴。

痛苦呀，你如何這樣的靈驗！

一念 有序 新青年四、一、

胡適

今年在北京，住在竹竿巷。有一天，忽然由竹竿巷想到竹竿尖。竹竿尖乃是吾家村後的一座最高山的名字。因此便做了這首詩。

我笑你繞太陽的地球，一日夜只打得一個回旋；
我笑你繞地球的月亮兒，總不會永遠團圓；
我笑你千千萬萬大大小小的星球，總跳不出自己的軌道線；
我笑你一秒鐘走五十萬里的無線電，總比不上我區區的心頭一念，
我這心頭一念：
纔從竹竿巷，忽到竹竿尖；
忽在赫貞江上，忽到凱約湖邊；
我若真個害刻骨的相思，便一分鐘繞遍地球三千萬轉！

想 星期評論十二、

沈玄廬

（一）

平時我想你，
七日一來復。
昨日我想你，
一日一來復。
今朝我想你，
一時一來復。
今宵我想你，
一刻一來復。

（二）

予的自由，不如取的自由。
取得的自由，才是奪不去的自由。
你取你的自由，他奪他的自由。

奪了去放在那裏？
依舊朝朝暮暮，在你心頭在我心頭。

陰 曙光 一、Translated By Thomes Wolsh from The Spanish of Serofin Alvaveg Quentero

王統照重譯

一所幽蔭的居室，在小小的街道，
橄欖式的窗格，在花園中微微的含笑。
窗格後却有些玫瑰花兒：
又妙美又華麗，在屋子外邊圍繞，
住着一雙快樂的良偶是「天長地久」
他們纏綿的光陰，却只在蜜甜中逍遙。
他是常常的愉快，沒些兒閑愁煩惱，
他却是永沒有試嘗過這種愛的味道。
晚上啊！伸開了他的帳幔，遮蔽了他倆閑談的清瞭，
自由笑樂的光陰便消磨了。

他倆的戀愛是：—
互相歡喜，互相愛好。
設若你能夠對你心愛的人兒道：
「我祝你的平安，在今宵。」
他回答是：
「上帝呀，使在這裏，這裏是我來睡覺。」

光 星期評論十四、

玄廬

一片片烏雲白雲，遮住了月光如鬼。
秋風初起，冷颼颼吹入心苗淘成眼淚。
只一縷天河，疎星幾點，光明還在。
風際林梢，似有人隔中招手，叮嚀忍耐。
忍耐忍耐，怎禁他腕底悲風，胸中熱淚。
唉！烏雲也罷！白雲也罷！那遮不住的月光，
了無罣礙。
空霄無際，連你這幾片雲兒，也涵蓋在光明世界

悼趙五貞女士輿中自刎 女界鐘十九、

翼儒

八年十一月六日，長沙城忽然開了一個黑暗與光明的伐。

數千年來，所聞所見的，無非是從夫從父從子的聲浪。

那可惡的聲浪，雖然是響了幾千年。這二萬萬的同胞，卻靜悄悄的不聲不響。

趙女士不管他自己的勢力孤單，要去身臨前敵。為甚麽你有那樣大的胆量。

我聽得趙女士的這事發生，新派的人極端稱讚，舊派的人極端的誹謗。

那死的只是一個人，為什麽這個說這樣，那個說那樣?

我是少年 新社會一、

鄭振鐸

(一)

我是少年！我是少年！
我有如炬的眼，我有思想如泉。
我有犧牲的精神，我有自由不可捐。
我過不慣偶像似的流年，我看不慣奴隸的苟安
我起！我起！我欲打破一切的威權。

(二)

我是少年！我是少年！
我有滾騰的熱血和活潑進取的氣象。
我欲進前！進前！進前！
我有同胞的情感，我有博愛的心田。
我看見前面的光明，
我欲駛破浪的大船，滿載可憐的同胞。
進前！進前！進前！
不管他濁浪排空，狂飆肆虐；
我只向光明的所在，進前！進前！進前！

附錄

我爲什麼要做白話詩？

胡適

（嘗試集自序）

我這三年以來做的白話詩若干首，分做兩集，總名爲嘗試集。民國六年九月我到北京以前的詩爲第一集，以後的詩爲第二集。民國五年七月以前，我在美國做的文言詩詞，删剩若干首，合爲去國集，印在後面作一個附錄。

我的朋友錢玄同曾替嘗試集做了一篇長序，把應該用白話做文章的道理說得很痛快透切。（見新青年四卷第二號）

我現在自己作序，只說我爲什麼要用白話來做詩。這一段故事，可以算是嘗試集產生的歷史，可以算是我個人主張文學革命的小史。

我做白話文學起於民國紀元前六年，（丙午）那時我替上海競業旬報做了半部章回小說和一些論文，都是用白話做的。到了第二年（丁未）我因脚氣病出學堂養病。病中無事，我天天讀古詩，從蘇武李陵直到元好問，單讀古體詩，不讀律詩。那一年我也做了幾篇詩，內中有一篇五百六十字的遊萬國賽珍會和一篇近三百字的棄父行。以後我常常做詩，到我往美國時已做了兩百多首詩了。

我先前不做律詩，因爲我少時不曾學對對子，心裏總覺得律詩難做。後來偶然做了一些律詩，覺得律詩原來是最容易做的玩意兒，用來做應酬朋友的詩，再方便也沒有了。我初做詩，人都說我像白居易一派。後來我因爲要學時髦，也做一番研究杜甫的工夫。但是我讀杜詩只讀石壕吏，自京赴奉先詠懷一類的詩；律詩中五律我極愛讀，七律中最討厭秋興一類的詩，常說這些詩文法不通，只有一點空架子。

自民國前六七年到民國前二年(庚戌)可算是一個時代。這個時代已有不滿意於當時舊文學的趨向了。我近來在一本舊筆記裏(名自勝生隨筆，是丁未年記的)翻出這幾條論詩的話：

作詩必使老嫗聽解，固不可。然必使士大夫讀而不能解，亦何故耶？(錄麓堂詩話)

東坡云，「詩須有為而作。」元遺山云，「縱橫正有凌雲筆，俯仰隨人亦可憐。」(錄南濠詩話)

這兩條上都有密圈，也可見我十六歲時論詩的旨趣了。

民國前二年，我往美國留學。初去的兩年作詩不過兩三首。民國成立後，任叔永(鴻雋)楊杏佛(銓)同來綺色佳(Ithaca)，有了做詩的伴當了。集中文學篇所說：

明年任與楊遠道來就我，山城風雪夜枯坐殊未可。烹茶更賦詩，有倡還須和。詩爐火灰冷，從此生新火。

都是實在情形。在綺色佳五年，我雖不專治文學，但也頗讀了一些西方文學書籍，無形之中總受了不少的影響，所以我那幾年的詩，胆子已大得多。去國集的耶穌誕節歌和久雪後大風作歌都帶有試驗的意味。後來做自殺篇完全用分段作法，試驗的態度更顯明了。藏暉室箚記第三冊有跋自殺篇一段說：

……吾國人作詩每不重言外之意，故說理之作極少。求一樸蒲(Pope)已不可多得，何況華茨活(Words Worth)推貴(Goethe)與白郎吟(Browning)矣。此篇以吾所持

樂觀主義入詩，全篇爲說理之作，雖不能佳，然途徑具在。他日多作之，或有進境耳。（民國三年七月七日）

又跋云：

吾近來作詩，頗有不依人蹊徑，亦不專學一家。命意固無從摹倣，即字句形式亦不爲古人成法所拘，蓋頗能獨立矣。（七月八日）

民國四年八月，我作一文論「如何可使吾國文言易於教授。」文中列舉方法幾條，還不曾主張用白話代文言。但那時我已明言「文言是半死之文字，不當以教活文字之法教之。」又說：「活文字者，日用語言之文字，如英法文是也，如吾國之白話是也。死文字者如希臘拉丁，非日用之語言，已陳死矣，半死文字者，以其中尙有日用之分子在也。如犬字是已死之字，狗字是活字；乘馬是死語，騎馬是活語；故曰半死文字也。」（箚記第九册）

四年九月十七夜，我因爲自己要到紐約進哥侖比亞大學，梅覲莊（光迪）要到康橋進哈佛大學，故作一首長詩送覲莊。詩中有一段說：

梅君梅君毋自鄙！神州文學久枯餒，百年未有健者起，新潮之來不可止，文學革命其時矣！吾輩勢不容坐視，且復號召二三子，革命軍前扶馬箠，鞭笞驅除一車鬼，再拜迎入新世紀！以此報國未云菲，縮地戡天差可儗。梅君梅君毋自鄙！

原詩共四百二十字，全篇用了十一個外國字的譯音。不料這十一個外國字就惹出了幾年的筆戰！任叔永把這些外國字連綴起來，做了一首游戲詩送我：

牛敦愛迭孫，培根客爾文，索虜與霍桑，「烟士披里純」

新詩集附錄

鞭笞一車鬼，爲君生瓊英。文學今革命，作歌送胡生。

我接到這詩，在火車上依韻和了一首，寄給叔永諸人：

詩國革命何自始？要須作詩如作文。琢鏤粉飾喪元氣，貌似未必詩之純。小人行文頗大胆，諸公一一皆人英，願共僇力莫相笑，我輩不作腐儒生。

梅覲莊誤會我「作詩如作文」的意思，寫信來辯論。他說：

……詩文截然兩途。詩之文字與文之文字，自有詩文以來，無論中西，已分道而馳。……足下爲詩界革命家，改良詩之文字則可；若僅移文之文字於詩，卽謂之革命，謂之改良，則不可也。……以其太易易也。

這封信逼我把詩界革命的方法表示出來。我的答書不曾留稿，今鈔答叔永書一段如下：

適以爲今日欲救舊文學之弊，須先從滌除「文勝」之弊入手。今人之詩徒有鏗鏘之韻，貌似之辭耳。其中實無物可言。其病根在於重形式而去精神，在於以文勝質。詩界革命當從三事入手：第一，須言之有物；第二，須講求文法；第三，當用「文之文字」時，不可故意避之。三者皆以質救文之弊也。……覲莊所論「詩之文字」與「文之文字」之別亦不盡當。卽如白香山詩，「城云臣按六典書，任土貢有不貢無，道州水土所生者，只有矮民無矮奴！」李義山詩，「公之斯文若元氣，先時已入人肝脾。」……此諸例所用文字，是「詩之文字」乎？抑「文之文字」乎？又如適贈足下詩，「國事今成遍體瘡，治頭治脚俱所急。」 此中字字皆覲莊所謂「文之文字。」……可知「詩之文字」原不異「文之文字；」正如詩之文法原不異文之文法也。……

……（五年二月二日）

「詩之文字，」一個問題也是很重要的問題，因爲有許多人只認風花雪月蛾眉朱顏銀漢玉容等字是「詩之文字；」做成的詩讀起來字字是詩仔細分析起來一點意思也沒有。 所以我主張用樸實無華的白描工夫如白居易的道州民，如黃庭堅的題蓮華寺，如杜甫的自京赴奉先詠懷。 這類的詩，詩味在骨子裏，在質不在文；沒有骨子的濫調詩人決不能做這類的詩。 所以我的第一條件便是「言之有物。」因爲注重之點在言中的「物，」故不問所用的文字是詩的文字還是文的文字。 覲莊認做「僅移文之文字於詩，」所以錯了。

這一次的爭論是民國四年到五年春間的事。那時影響我個人最大的就是我平常說的「歷史的文學進化觀念。」 這個觀念是我的文學革命論的基本理論。 劄記第十冊有五年四月五日夜所記一段如下：

文學革命，在吾國史上非創見也， 即以韻文而論，三百篇變而爲騷，一大革命也。 又變爲五言七言，二大革命也。 賦變而爲無韻之駢文，古詩變而爲律詩，三大革命也， 詩之變而爲詞。四大革命也， 詞之變而爲曲，爲劇本，五大革命也。 何獨於吾所持文學革命論而疑之

文亦遭幾許革命矣。 自孔子至於秦漢，中國文體始完備。 六朝之文……亦有可觀者。 然其時駢儷之體大盛，文以工巧雕琢見

長，文法淺衰。韓退之所以稱「文起八代之衰」者，其功在於恢復散文，講求文法。此一革命也。……宋人談哲理者，深悟古文之不適於用，於是語錄體興焉。語錄體者，禪門所嘗用，以俚語說理紀言。……此亦一大革命也。至元人之小說，此體始臻極盛。……總之文學革命至元代而極盛。其時之詞也，曲也，劇本也，小說也，皆第一流之文學，而皆以俚語爲之。其時吾國眞可謂有一種「活文學」出現。儻此革命潮流，（革命潮流卽天演進化之迹。自其異者言之，謂之革命；自其循序漸進之迹言之，卽謂之進化可也）不遭明代八股之劫，不遭前後七子復古之劫，則吾國之文學已成俚語的文學，而吾國之語言早成爲言文一致之語言，可無疑也。但丁之創

意大利文學，卻叟之創英文學，路得之創德文學，未足獨有千古矣。惜乎五百餘年來，半死之古文，半死之詩詞，復奪此「活文字」之席，而「半死文學」遂苟延殘喘以至於今日。……文學革命何可更緩耶，何可更緩耶，

過了幾天，我塡了一首沁園春詞，題目就叫做「誓詩」，其實是一篇文學革命宣言書：

更不傷春，更不悲秋，以此誓詩。任花開也好，花飛也好；月圓固好，日落何悲！我聞之曰，「從天而頌，孰與制天而用之？」更安用爲蒼天歌哭，作彼奴爲！文章革命何疑！且準備搴旗作健兒。要前空千古，下開百世，收他臭腐，還我神奇！爲大中華，造新文學，此業吾曹欲讓誰？詩材料，有簇新世界，供我驅馳！（四月十三日）

這首詞上半所攻擊的是中國文學「無病而呻」的

惡習慣。我是主張樂觀，主張進取的人，故極力攻擊這種卑弱的根性。下半首是去國集的尾聲，是嘗試集的先聲。

以下要說發生嘗試集的近因了。

五年七月十二日，任叔永寄我一首泛湖即事詩。這首詩又惹起一場大筆墨官司，故不能不鈔一段於此：

蕩蕩平湖，漪漪綠波，言櫂輕楫，以滌煩痾，既備我餚，既借我友，容與中流，山光前後，……清風競爽，微雲蔽暄；猜謎賭勝，載笑載言，行行忘遠，息楫崖根。忽逢波怒，鼉掣鯨奔！岸逼流迴，石斜浪翻！翩翩一葉，馮夷所吞，舟則可棄，水則可揭。溼我裳衣，貽他人視。……

我答書說：

……泛湖詩中寫翻船一段，所用字句，皆前人用以寫江海大風浪之套語。足下避自己鑄詞之難，而趨於借用陳套語之易。足下自謂「用力太過」，實則全未用氣力。趨易避難，非不用氣力而何？……再者詩中所用「言」字，（第三句）及「載」字，皆係死字。又如「猜謎賭勝，載笑載言」兩句，上句為二十世紀之活字，下句為三千年前之死句，殊不相稱也。……（七月十六日）

叔永答書，把原詩極力刪改一遍，遠勝原稿了。不料我這幾句話觸怒了一位旁觀的朋友，那時梅覲莊在綺色佳過夏，見了我這些話，因寫信來痛駁我。他說：

足下所自矜為文學革命真諦者，不外乎用「活字」以入文，於叔永詩中稍古之字，皆所不取，以為非「二十世紀之活字」。……夫文字革新，須洗去舊日腔套，務去陳言，固矣，然此非盡屏古人所用之字而另以俗語白話代之之謂也。……足下以俗語白話爲向來文學上不用之字，驟以入文，似覺新奇而美，實則無永久價值。因其向未經美術家鍛鍊，徒譸諸愚夫愚婦無美術觀念者之口，歷世相傳，愈趨愈下，鄙俚乃不可言。足下得之，乃矜矜自喜，眩爲創獲，異矣。如足下之言，則人間材智，選擇，教育，諸事，皆無足算，而村農傖父皆足爲詩人美術家矣。甚至非洲黑蠻，南洋土人，其言文無分者，最有詩人美術家之資格矣。至於無所謂「活文字」，亦與足下前此言之。……文學者。世界上最守舊之物也。……

足下乃視改革文字如是之易乎？……

覲莊這封信不但完全誤解我的主張，並且說了一些沒有道理的話，故我做了一首一千多字的白話游戲詩答他。這首詩雖是游戲詩，也有幾段莊重的議論。如第二段說：

文字沒有雅俗，却有死活可道。
古人叫做欲，今人叫做要；
古人叫做至，今人叫做到：
古人叫做溺，今人叫做尿：
本來同是一字，聲音少許變了，
並無雅俗可言，何必紛紛胡鬧，
至於古人叫字，今人叫號；古人懸梁，今人上弔，
古名雖未必不佳，今名又何嘗不妙？
至於古人乘輿，今人坐轎；古人加冠束幘，今人但知戴帽。
若必叫帽作巾，叫轎作輿，豈非張冠李戴，認虎作豹？……

又如第五段說：

今我苦口嘵舌，算來却是爲何？
正要求今日的文學大家，
把那些活潑潑的白話，拏來鍛鍊，拏來琢磨，拏
來作文演說作曲作歌；
出幾個白話的囂俄，和幾個白話的東坡，
那不是「活文學」是什麼？
那不是「活文學」是什麼？

這一段全是後來用白話作實地試驗的意思。

這首白話游戲詩是五年七月二十二日做的，一半是朋友遊戲，一半是有意試做白話詩。不料梅任兩位都大不以爲然，覲莊來信大罵我，他說：

讀大作如兒時聽蓮花落，眞所謂革盡古今中外詩人之命者。足下誠豪健哉！蓋今之西洋詩界若足下之張革命旗者，亦數見不鮮。

最著者有所謂 Futurism, Imagism, Free Verse. 及各種decadent movements in Literature and arts. 大約皆足下俗話詩之流亞，皆喜以「前無古人後無來者」自豪，皆喜詭立名字，號召徒衆，以眩駭世人之耳目，而已則從中得名士頭銜以去焉。……

信尾又有兩段添入的話：

文章體裁不同。小說詞曲固可用白話，詩文則不可。

今之歐美狂瀾橫流，所謂「新潮流」者，耳已聞之熟矣。誠望足下勿剽竊此種不値錢之新潮流以哄國人也。（七月三十日）

這封信頗使我不心服，因爲我主張的文學革命，祇是就中國今日文學的現狀立論；和歐美的文學新潮流並沒有關係；有時借鏡於西洋文學史也不過舉出三

四百年前歐洲各國產生「國語的文學」的歷史。因為中國今日國語文學的需要很像歐洲當日的情形，我們研究他們的成績也許使我們減少一點守舊性，增添一點勇氣。 覲莊硬派一個「剽竊此種不值錢之新潮流以哄國人」的罪名，我如何能心服呢？

叔永信說：

足下此次試驗之結果，乃完全失敗者也，……要之，白話自有白話用處（如作小說演說等），然不能用之於詩。 如凡白話皆可為詩，則吾國之京調高腔何一非詩？……烏乎！適之！吾人今日言文學革命，乃誠見今日文學有不可不改革之處，非特文言白話之爭而已。吾嘗默省吾國今日文學界，即以詩論，其老者，如鄭蘇盦陳伯嚴輩，其人頭腦已死，只可讓其與古人同朽腐。 其幼者，如南社一流人，淫濫

委瑣，亦去文學千里而遙。 曠觀國內，如吾儕欲以文學自命者，舍自倡一種高美芳潔之文學，更無吾儕廁身之地。 以足下高才有為，何為舍大道不由，而必旁逸斜出，植美卉於荆棘之中哉？…… 唯以此（白話）作詩，則僕期期以為不可。……今且假令足下之文學革命成功，將令吾國作詩者皆高腔京調，而陶謝李杜之流將永不復見於神州，則足下之功又何若哉？……（七月二十四日夜）

覲莊說，「小說詞曲固可用白話，詩文則不可。」叔永說，「白話自有白話用處（如作小說演說等），然不能用之於詩。」 這是我最不承認的。 我答叔永信中說：

……白話入詩，古人用之者多矣。（此下舉放翁詩及山谷稼軒詞為例。）……總之，白

話之能不能作詩—此一問題全待吾輩解決，

解決之法，不在乞憐古人，謂古之所無，今必不可有，而在吾輩實地試驗。一次「完全失敗，」何妨再來？若一次失敗，便「期期以為不可，」此豈科學的精神所許乎？

這一段乃是我的「文學的實驗主義。」我三年來所做的文學事業只不過是實行這個主義。

答叔永書很長，我且再鈔一段：

……今且用足下之字句以述吾夢想中之文學革命曰：

(1)文學革命的手段：要令國中之陶謝李杜敢用白話京調高腔作詩；要令國中之陶謝李杜皆能用白話京調高腔作詩。

(2)文學革命的目的：要令白話京調高腔之中產出幾許陶謝李杜。

(3)今日決用不着「陶謝李杜的」陶謝李杜。若陶謝李杜生於今日，仍作陶謝李杜當日之詩，則決不能更有當日的價值與影響。何也？時代不同也？

(4)吾輩生於今日，與其作不能行遠不能普及的五經兩漢六朝八家文字，不如作家喻戶曉的水滸西遊文字。與其作似陶似謝似李似杜的詩，不如作不似陶謝不似李杜的白話詩。與其作一個學這個學那個的鄭蘇龕陳伯嚴，不如作一個實地試驗，「旁逸斜出，」「舍大道而弗由」的胡適之。

……吾志決矣，吾自此以後，不更作文言詩詞。……（七月二十六日）

這是第一次宣言不做文言詩詞。過了幾天，我再答叔永道：

新詩集附錄

……古人說，「工欲善其事必先利其器」文字者，文學之器也。我私心以爲文言決不足爲吾國將來文學之利器。施耐庵曹雪芹諸人已實地證明作小說之利器在於白話。今尚需人實地試驗白話是否可爲韻文之利器耳。……我自信頗能用白話作散文，但尙未能用之於韻文。私心頗欲以數年之力，實地練習之。倘數年之後，竟能用文言白話作文作詩，無不隨心所欲，豈非一大快事？我此時練習白話韻文，頗似新闢一文學殖民地。可惜須單身匹馬而往，不能多得同志結伴同行。然吾去志已決。公等假我數年之期。倘此新國盡是沙磧不毛之地，則我或終歸老於「文言詩國」，亦未可知。儻幸而有成，則闢除荊棘之后，當開放門戶迎公等同來蒞

止耳！「狂言人道臣當烹。」我自不吐定不快，人言未足爲輕重。」足下定笑我狂耳。……（八月四日）

這時我已開始作白話詩。詩還不曾做得幾首，詩集的名字已定下了。那時我想起陸游有一句詩，「嘗試成功自古無」。我覺得這個意思恰和我的實驗主義反對，故用「嘗試」兩字作我的白話詩集的名字，要看「嘗試」究竟是否可以成功。那時我已打定主意努力做白話詩的試驗；心裏只有一點痛苦，就是同志太少了，「須單身匹馬而往」。我平時所最敬愛的一班朋友都不肯和我同去探險。但是我若沒有這一班朋友和我打筆墨官司，我也決不會有這樣的嘗試決心。莊子說得好：「彼出於是，是亦因彼。」我至今回想當時和那班朋友，一日一郵片，三日一長函的樂趣，覺得那眞是人生最不容易有的幸

福。我對於文學革命的一切見解，所以能結晶成一種有系統的主張，全都是同這一班朋友切磋討論的結果。五年八月十九日，我寫信答朱經農（經）中有一段說：

新文學之要點，約有八事：

（一）不用典，

（二）不用陳套語，

（三）不講對仗，

（四）不避俗字俗語，

（五）須講求文法。以上爲形式的一方面。

（六）不作無病之呻吟，

（七）不摹倣古人，須語語有個我在，

（八）須言之有物。以上爲精神（內容）的一方面。

這八條，後來成爲一篇文學改良芻議（新青年第二卷第五號，六年一月一日出版。）即此一端，便可見朋友討論的益處了。

我的嘗試集起於民國五年七月，到民國六年九月我到北京時，已成一小冊子了。這一年之中，白話詩的試驗室裏只有我一個人。因爲沒有積極的幫助，故這一年的詩，無論怎樣大膽，終不能跳出舊詩的範圍。我初回國時，我的朋友錢玄同說我的詩詞「未能脫盡文言窠臼」，又說「嫌太文了」。美洲的朋友嫌「太俗」的詩，北京的朋友嫌「太文」了：這話我初聽了很覺得奇怪。後來平心一想，這話眞是不錯，我在美洲做的嘗試集實在不過是能勉强實行了文學改良芻議裏面的八個條件；實在不過是一些刷洗過的舊詩；這些詩的大缺點，就是仍舊用五言七言的句法。句法太整齊了，就不合語言的自然，不能不有截長補短的毛病，不能不時時犧牲白話的字和白話的文法，來湊就五七言的句法。 音節一層，也受很大的影響：第一，整齊劃一的音節沒有變化，實在無味；第二，沒有自然的音節，不能跟着詩料隨時變化。 因此，我到北京以後所做的詩，認得一個主義：若要做眞正的白話詩，若要充分採用白話的字，白話的文法，和白話的自然音節，非做長短不一的白話詩不可。 這種主義，可叫做「詩體的大解放。」 詩體的大解放就是把從前一切束縛自由的枷鎖鐐銬，一切打破：有什麼話，說什麼話；話要怎麼說，就怎麼說。 這樣方才可有眞正白話詩，方才可以表現白話的文學可能性。 嘗試第二集中的詩雖不能處處做到這個理想的目的，但大致都想朝着這個目的做去。 這是第二集和第一集的不同之處。

以上說嘗試集發生的歷史。 現在且說我爲什麼趕緊印行這本白話詩集。 我的第一個理由是因爲這一年以來白話散文雖然傳播得很快很遠，但是大多數的人對於白話詩仍舊很懷疑；還有許多人不但懷疑，簡直持反對的態度。 因此，我覺得這個時候有一兩種白話韻文的集子出來，也許可以引起一般人的注意，也許可以供贊成和反對的人作一種參考的材料。 第二，我實地試驗白話詩已經三年了，我很想把這三年試驗的結果供獻給國內的文人，作爲我的試驗報告。 我很盼望有人把我試驗的結果仔細研究一番，加上平心靜氣的批評，使我也可以知道這種試驗究竟有沒有成績，用的試驗方法，究竟有沒有錯誤。 第三，無論試驗的成績如何，我覺得我的嘗試集至少有一件事可以供獻給大家的。 這一件可供獻的事就是這本詩所代表的「實驗的精神。」 我們這一班人的文學革命論所以同別人不同，全在這一點試驗的態度。 近來稍稍明白事理的人，都覺得中國文學有改革的必要。 即如我的朋友任叔永，他也說：「烏乎！適之！吾人今日言文學革命，乃誠見今日文學有不可不改革之處，非特文言白話之爭而已。」甚至於南社的柳亞子也要高談文學革命。 但是他們的文學革命論祗提出一種空蕩蕩的目的，不能有一種具體進行的計畫。 他們都說文學革命決不是形式上的革命，決不是文言白話的問題。 等到人問他們究竟他們所主張的革命「大道」是什麼，他們可回答不出了。 這種沒有具體計畫的革命，—無論是政治的是文學的，—決不能發生什麼效果。 我們認定文字是文學的基礎，故文學革命的第一步就是文字問題的解決。 我們認定「死文字決不能產生活文學」，故我們主張若要造一種活的文學，必須用白話來做文學的工具。 我們也知道單有白話未必就能造出新文學；我們也知道新文學必須要有新思想做裏子。 但是我們認定白話實在有文學的可能，實在是新文學的唯一利器。 我們對於這種懷疑，這種反對，沒有別種法子可以對付，只有一個法子，就是科學家的試驗方法。 科學家遇着一個未經實地證明的理論，只可認做一個假設；須等到實地試驗之後，方才用試驗的結果來批評那個假設的價值。 我們主張白話可以做詩，因為未經大家承認，只可說是一個假設的理論。 我們這三年來，只是想把這個假設用來做種種實地試驗，—做五言詩，做七言詩，做嚴格的詞，做極不整齊的長短句，做有韻詩，做無韻詩，做種種音節上的試驗，—要看白話是不是可以做好詩，要看白話詩是不是比文言詩要更好一點。 這是我們這班白話詩人的「實驗精神」。 我這本集子裏的話，不問詩的價值如何，總都可以代表這點實驗的精神。

這兩年來北京有我的朋友沈尹默，劉半農，周豫才，周啓明，傅斯年，俞平伯，康白情，諸位，美國有陳衡哲女士，都努力作白話詩。白話詩的試驗室裏的試驗家漸漸多起來了。但是大多數的文人仍舊不敢輕易「嘗試。」他們永不來嘗試嘗試，如何能判斷白話詩的問題呢？耶穌說得好：「收穫是很多的；可惜做工的人太少了。」所以我大胆把這本嘗試集刻出來，要想把這本集子所代表的「實驗的精神」貢獻給全國的文人，請他們大家都來嘗試嘗試。

我且引我的嘗試篇作這篇長序的結論：

「嘗試成功自古無，」放翁這話未必是。我今為下一轉語，「自古成功在嘗試！」……莫想小試便成功，那有這樣容易事；有時試到千百回，始知前功盡抛棄。卽使如此已無媿，卽此失敗便足記。告人「此路不通行，」可使腳力莫枉費。我生求師二十年，今得「嘗試」兩個字。作詩做事要如此，雖未能到頗有志。作「嘗試」歌頌吾師，願吾師壽千萬歲。

談新詩

八年來一件大事

胡適

（一）

民國六年（一九一七）一月一日，新青年第二卷第五號出版，裏面有我的朋友高一涵的一篇文章，題目是「一九一七年豫想之革命」。他豫想從那一年起中國應該有兩種革命：（一）於政治上應揭破賢人政治之眞相，（二）於教育上應打消孔教為修身大本之憲條」。高君的豫言，不幸到今日還不曾實現。「賢人政治」的迷夢總算打破了一點，但是打破他的，並不是高君所希望的「立於萬民之後，破除自由的阻力，鼓舞自動之機能」的民治國家，乃是一種更壞更腐敗更黑暗的武人政治。至於孔教爲修身大本的憲法，依現今的思想趨勢看來，這個當然不能成立，但是安福部的參議院已通過這種議案了，今年雙十節的前八日北京還要演出一齣徐世昌親自祀孔的好戲！

但是同一號的新青年裏，還有一篇文章，叫做「文學改良芻議」，是新文學運動的第一次宣言書。新青年的第二卷第六號接着發表了陳獨秀君的「文學革命論」。後來七年四月裏又有一篇「建設的文學革命論」（新青年四卷四號）。這一種文學革命的運動，在我的朋友高君做那篇「一九一七年預想的革命」時雖然還沒有響動，但是自從一九一七年一月以來，這種革命——多謝反對黨送登廣告的影響——居然可算是傳播得很廣很遠了。文學革命的目的是要替中國創造一種「國語的文學」——活的文學。這兩年來的成績，國語的散文是已過了辯論的時期，到了多數人實行的時期了。只有國語的韻文——所謂「新詩」——還脫不了許多人的懷疑。但是現在做新詩的人也就不少了。報紙上所載的，自北京到廣州，自上海到成都，多有新詩出現。

這種文學革命預算是辛亥大革命以來的一件大事。現在星期評論出這個雙十節的紀念號，要我做一萬字的文章。我想，與其枉費筆墨去談這八年來的無謂政治，倒不如讓我來談談這些比較有趣昧的新詩體。

（二）

我常說，文學革命的運動，不論古今中外，大概都是從「文的形式」一方面下手，大概都是先要求語言文字文體等方面的大解放。歐洲三百年前各國國語的文學起來代替拉丁文學時，是語言文字的大解放，十八十九世紀法國囂俄英國華次活(Wordsworth)等人所提倡的文學改革，是詩的語言文字的解放，近幾十年來西洋詩界的革命，是語言文字和文體的解放。這一次中國文學的革命運動，也是先要求語言文字和文體的解放。新文學的語言是白話的，新文學的文體是自由的，是不拘格律的。初看起來。這都是『文的形式』一方面的問題，算不得重要。卻不知道形式和內容有密切的關係。形式上的束縛，使精神不能自由發展，使良好的內容不能充分表現。若想有一種新內容和新精神，不能不先打破那些束縛精神的枷鎖鐐銬。因此，中國近年的新詩運動可算得是一種『詩體的大解放』。因為有了這一層詩體的解放，所以豐富的材料，精密的觀察，高深的理想，複雜的感情，方才能跑到詩裏去。五七言八

句的律詩決不能容豐富的材料，二十八字的絕句決不能寫精密的觀察，長短一定的七言五言決不能委婉達出高深的理想與複雜的情感。

最明顯的例就是周作人君的『小河』長詩（新青年六卷二號），這首詩是新詩中的第一首傑作，但是那樣細密的觀察，那樣曲折的理想，決不是那舊式的詩體詞調所能達得出的。周君的詩太長了，不便引證，我且舉我自己的一首詩作例：

『應該』

他也許愛我，——也許還愛我，——
但他總勸我莫再愛他。
他常常怪我；
這一天他眼淚汪汪的望着我，
說道：『你如何還想着我？
想着我你又如何能對他？

你要是當眞愛我，
你應該把愛我的心愛他，
你應該把待我的情待他。」
…………
他的話句句都不錯，——
上帝幫我！
我「應該」這樣做！（新青年六，四）

這首詩的意思神情都是舊體詩所達不出的。別的不消說，單說「他也許愛我，——也許還愛我」這十個字的幾層意思，可是舊體詩能表得出的嗎？

再舉康白情君的「窗外」：

窗外的閒月，
緊戀着窗內蜜也似的相思。
相思都惱了，
他還涎着臉兒在牆上相窺。
回頭月也惱了，
一抽身兒就沒了。
月倒沒了，
相思倒覺着捨不得了。（新潮一，四）

這個意思，若用舊詩體，一定不能說得如此細膩。

就是寫景的詩，也須有解放了的詩體，方才可以有寫實的描畫。例如杜甫詩「江天漠漠鳥雙去」，何嘗不好？但他爲律詩所限，必須對上一句「風雨時時龍一吟」，就壞了。簡單的風景，如「高臺芳榭，飛燕蹴紅英，舞困榆錢自落」之類，還可用舊詩體描寫。稍微複雜細密一點，舊詩就不夠用了。如傅斯年君的「深秋永定門晚景」中的一段（新潮一，二）：

……那樹邊，地邊，天邊，

如雲，如水，如烟，
望不斷，——一線。
忽地裏撲喇喇一響，
一個野鴨飛去水塘，
彷彿像大車音浪，漫漫的工—東—噹。
又有種說不出的聲息，若續若不響。

這一段的第六行，若不用有標點符號的新體，決做不到這種完全寫實的地步。又如俞平伯君的「春水船」中的一段（新潮一，四）：

……對面來了個縴人，
拉着個單桅的船徐徐移去。
雙櫓掛在船唇，
皺面開紋，
活活水流不住。
船頭曬着破網。

漁人坐在板上
把刀劈竹拍拍的響。
船口立個小孩，又憨又蠢，
不知爲什麼？
笑迷迷癡看那黃波浪。……

這種樸素眞實的寫景詩乃是詩體解放後最足使人樂觀的一種現象。

以上舉的幾個例，都可以表示詩體解放後詩的內容之進步。我們若用歷史進化的眼光來看中國詩的變遷，便可看出自三百篇到現在，詩的進化沒有一回不是跟着詩體的進化來的。三百篇中雖然也有幾篇組織很好的詩如「氓之蚩蚩」「七月流火」之類；又有幾篇很妙的長短句，如「坎坎伐檀兮」「園有桃」之類；但是三百篇究竟還不曾完全脫去「風謠體」(Ballad)的簡單組織。直到南方的騷賦文學發生，方才有偉大的長篇韻文。這是一次解放。但是騷賦體用兮些等字煞尾，停頓太多又太長，太不自然了。故漢以後的五七言古詩刪除沒有意思約煞尾字，變成貫串篇章，便更自然了。若不經過這一變，決不能產生「焦仲卿妻」「木蘭辭」一類的詩。這是二次解放。五七言成爲正宗詩體以後，最大的解放莫如從詩變爲詞。五七言詩是不合語言之自然的，因爲我們說話決不能詩是五字或七字。句句變爲詞，只是從整齊句法變爲比較自然的參差句法。唐五代的小詞雖然格調狠嚴格，已比五七言詩自然的多了。如李後主的「剪不斷，理還亂，是離愁。別有一般滋味在心頭。」這已不是詩體所能做得到的了。試看晁補之的「驀山溪」：

……愁來不醉，不醉奈愁何？
汝南周，東陽沈，
勸我如何醉？

這種曲折的神氣決不是五七言詩能寫得出的。又如辛稼軒的「水龍吟」：

……落日樓頭，斷鴻聲裏，江南游子
把吳鉤看了，闌干拍遍，
無人會，登臨意。

這種語氣也決不是五七言的詩體能做得出的。這是三次解放。宋以後，詞變爲曲，曲又經過幾多變化，根本上看來，只是逐漸刪除詞體裏所剩下的許多束縛自由的限制，又加上詞體所缺少的一些東西如襯字套數之類。但是詞曲無論如何解放，終究有一個根本的大拘束：詞曲的發生是和音樂合併的，後來雖有可歌的詞，不必歌的曲，但是始終不能脫離「調子」而獨立，始終不能完全打破詞調曲譜的限制。直到近來的新詩發生，不但打破五言七言的詩體，並且推翻詞調曲譜的種種束縛；不拘格律，不拘平仄，不拘長短；有什麼題目，做什麼詩；詩該怎樣做，就怎樣做。這是第四次的詩體大解放。這種解放，初看去似乎狠激烈，其實只是三百篇以來的自然趨勢。自然趨勢逐漸實現，不用有意的鼓吹去促進他，那便是自然進化。自然趨勢有時被人類的習慣性守舊性所阻礙，到了該實現的時候均不實現，必須用有意的鼓吹去促進他的實現，那便是革命了。一切文物制度的變化，都是如此的。

(三)

上文我說新體詩是中國詩自然趨勢所必至的，不過加上了一種有意的鼓吹，使他於短時期內猝然實現，故表面上有詩界革命的神氣。這種議論

狠可以從現有的新體詩裏尋出許多證據。我所知道的「新詩人」，除了會稽周氏弟兄之外，大都是從舊式詩，詞，曲裏脫胎出來的。沈尹默君初作的新詩是從古樂府化出來的。例如他的「人力車夫」(新青年四，一)：

日光淡淡，白雲悠悠，
風吹薄冰，河水不流。
出門去，雇人力車。街上行人，往來狠多；
車馬紛紛，不知幹些甚麼。
人力車上人，個個穿棉衣，個個袖手坐，還覺風吹來，身上冷不過。
車夫單衣已破，他却汗珠兒顆顆往下墮。

稍讀古詩的人都能看出這首詩是得力於「孤兒行」一類的古樂府的。我自己的新詩，詞調狠多，這是不用諱飾的。例如前年做的「鴿子」(新青

年四，一）：

雲淡天高，好一片晚秋天氣！
有一羣鴿子，在空中遊戲。
看他們三三兩兩，
迴環來往，
夷猶如意，
忽地裏，翻身映日，白羽襯青天，鮮明無比！

就是今年做詩，也還有帶着詞調的。例如「送任叔永回四川」的第二段（新青年六，五）：

你還記得，我們暫別又相逢，正是赫貞春好？
記得江樓同遠眺，雲影江來，驚起江頭鷗鳥？
記得江邊石上，同坐看潮回，浪聲遮斷人笑？
記得那回同訪友，日暗風橫，林裏陪他踏松嘯？

懂得詞的人，一定可以看出這四長句用的是四種詞調裏的句法。這首詩的第三段便不同了：

這回久別再相逢，便又送你歸去，未免太匆匆！
多虧得天意多留你兩日，使我做得詩成相送。
萬一這首詩趕得上遠行人，
多替我說聲「老任珍重珍重」！

這一段便是純粹新體詩。此外新潮社的幾個新詩人，──傅斯年，俞平伯，康白情，──也都是從詞曲裏變化出來的，故他們初做的新詩都帶着詞或曲的意味音節。此外各報所載的新詩，也狠多帶着調的。例太多了，我不能遍舉，且引最近一期的少年中國（第四期）裏周無若的「過印度洋」：

圓天蓋着大海，黑水托着孤舟。
也看不見山，那天邊只有雲頭。
也看不見樹，那水上只有海鷗。
那裏是非洲？那裏是歐洲？
我美麗親愛的故鄉却在腦後！
怕回頭，怕回頭，
一陣大風，雪浪上船頭，
颼颼，吹散一天雲霧一天愁。

這首詩狠可表示這一半詞一半曲的過渡時代了。

（四）

我現在且談新體詩的音節。

現在攻擊新詩的人，多說新詩沒有音節。不幸

有一些做新詩的人也以為新詩可以不注意音節。這都是錯的。攻擊新詩的人，他們自己不懂得「音節」是什麼，以為句脚有韻，句裏有「平平仄仄」「仄仄平平」的調子，就是有音節了。中國字的收聲不是韻母（所謂陰聲），便是鼻音（所謂陽聲）：除了廣州入聲之外，從沒有用他種聲母收聲的。因此中國的韻最寬，句尾用韻眞是極容易的事，所以古人有「押韻便是」的挖苦話。押韻乃是音節上最不重要的一件事。至於句中的平仄，也不重要。古詩「相去日已遠，衣帶日已緩。浮雲蔽白日，游子不顧返」，音節何等響亮？但是用平仄寫出來便不能讀了：

平平仄仄仄，平仄仄仄仄。
平平仄仄仄，平仄仄仄仄。

又如陸放翁：

我生不逢柏粱建章之宮殿，安得峨冠侍游宴

頭上十一個字是「仄平仄平仄平仄平平平仄」，讀起來何以覺得音節很好呢？這是因爲一來這一句的自然語氣是一氣貫注下來的；二來呢，因爲這十一個字裏面，逢宮疊韻，粱章疊韻，不逢柏雙聲，建宮雙聲，故更覺得音節和諧了。

詩的音節全靠兩個重要分子：一是語氣的自然節奏，二是每句內部所用字的自然和諧。至於句末的韻脚，句中的平仄，都是不重要的事。語氣自然，用字和諧，就是句末無韻也不要緊。例如上文引晁補之的詞：「愁來不醉，不醉奈愁何？汝南周，東陽沈，勸我如何醉」這二十個字，語氣又曲折，又貫串，故雖隔開五個「小頓」才用韻，讀的人毫不覺得。

新體詩中也有用舊體詩詞的音節方法來做的。最有功效的例是沈尹默君的「三絃」（新青年五，二）：

中午時候，火一樣的太陽，沒法去遮，閑讓
他直曬長街上。靜悄悄少人行路；祇有悠
悠風來，吹動路旁楊樹。

誰家破大門裏，半院子綠茸茸細草，都浮着
閃閃的金光。旁邊有一段低低的土牆，
擋住了個彈三絃的人，却不能隔斷那三絃
鼓盪的聲浪。

門外坐着一個穿破衣裳的老年人，雙手抱着
頭，他不聲不響。

這首詩從見解意境上和音節上看來，都可算是新詩中一首最完全的詩看他第二段「旁邊」以下一長句中旁邊是雙聲；有一是雙聲；段，低，低，的，士，擋，彈，的，斷，設，的，十一個都是雙聲。這十一個字都是「端透定」（DT）的字，模寫三絃的聲響，又把「擋」「彈」「斷」「設」四個陽聲的字和七個陰聲的雙聲字（段，低，低，的，士，的，的，）參錯夾用，更顯出三絃的抑揚頓挫。蘇東坡把韓退之聽琴詩改爲送彈琵琶的詞，開端是「昵昵兒女語，燈火夜微明，恩冤爾汝來去彈指淚和聲」他頭上連用五個極短促的陰聲字，接着用一個陽聲的「燈」字，下面「恩冤爾汝」之後，又用一個陽聲的「彈」字，也是用同樣的方法。

吾自已也常用雙聲疊韻的法子來幫助音節的和諧，例如「一顆星兒」一首（新青年六，五；又改定稿每週評論三十四）

我愛你這顆頂大的星兒，
可惜我叫不出你的名字。
平日黃昏時候
霞光遮盡了滿天星，
今日風雨後，悶沉沉的天氣，
我望遍天邊，尋不見一點半點光明，
回轉頭來，
只有你在那楊柳高頭依舊亮晶晶地。

這首詩「氣」字一韻以後，隔開三十三個字方才有韻，讀的時候全靠「遍，天，邊，見，點，半，點，」一組疊韻字，（遍，邊，半，明，）又是雙聲字，和「有，柳，頭，舊」一組疊韻字，夾在中間故不覺得，「氣」「地」兩韻隔開那麼遠。

這種音節方法，是舊詩音節的精采，（參看清代周春的「杜詩雙聲疊韻譜，」）能夠容納在新詩裏，固然也是好事。但是這是新舊過渡時代的一種有趣味的研究，並不是新詩音節的全部。新詩大多數的趨勢，依我們看來，是朝着一個公共方向走的。那個方向便是「自然的音節」

自然的音節是不容易解說明白的。我且分兩層說：

第一，先說「節」——就是詩句裏面的頓挫段落。舊體的五七言詩是兩個字爲一「節」的。隨便舉例如下：

風綻—雨肥—梅（兩節半）

江間—波浪—兼天—湧（三節半）

王郎—酒酣—拔劍—斫地—歌—莫哀（五節半）

我生—不逢—柏梁—建章—之—宮殿（五節半）

又—不得—身在—滎陽—京索—間（四節外兩個破節）

終—不似—一朵—釵頭—顫裊—向人—欹側（六節半）

新體詩句子的長短，是無定的；就是句裏的節奏也是依着意義的自然區分與文法的自然區分來分析的。白話裏的多音字比文言多得多，並且不止兩個字的聯合，故往往有三個字爲一節，或四五個字爲一節的。例如

萬一—這首詩—趕得上—遠行人。

門外—坐着—一個—穿破衣裳的—老年人。

雙手—抱着頭—他—不聲—不響。

旁邊—有一段—低低的—土牆—擋住了個—彈三絃的人，

這一天—他—眼淚汪汪的—望着我—說道—你如何—還想着我。想着我—你又如何—能

對他。

第二，再說「音」，──就是詩的聲調。新詩的聲調有兩個要件：一是平仄要自然，二是用韻要自然。白話裏的平仄，與詩韻裏的平仄有許多大不相同的地方。同一個字。單獨用來是仄聲，若同別的字連用，成為別的字的一部分，就成了狠輕的平聲了。例如「的」字「了」字，都是仄聲字，在「掃雪的人」和「掃淨了東邊」裏，便不成仄聲了。我們檢直可以說，白話詩裏只有輕重高下，沒有嚴格的平仄。例如周作人君的「兩個掃雪的人」（新青年六，三）的兩行。

祝福你掃雪的人！

我從清早起，在雪地裏行走，不得不謝謝你。

「祝福你掃雪的人」上六個字都是仄聲，但是讀起來自然有個輕重高下。「不得不謝謝你」六個字又都是仄聲，但是讀起來也有個輕重高下。又如同一首詩裏有「一面儘掃，一面儘下」八個字都是仄聲，但讀起來不但不拗口，並且有一種自然的音調。白話詩的聲調不在平仄的調劑得宜，全靠這種自然的輕重高下。

至於用韻一層，新詩有三種自由：第一，用現代的韻，不拘古韻，更不拘平水韻。第二，平仄可以互相押韻，這是詞曲通用的例，不單是新詩如此。第三，有韻固然好，沒有韻也不妨。新詩的聲調既在骨子裏，──在自然的輕重高下，在語氣的自然區分，故有無韻腳都不成問題。例如周作人君的「小河」，雖然無韻，但是讀起來自然有狠好的聲調，不覺得是一首無韻詩。我且舉一段如下：

……小河的水是我的好朋友，

他曾經穩穩的流過我面前，

我對他點頭，他對我微笑，

我願他能夠放出了石堰，

仍然穩穩的流着，

向我們微笑……

又如周君的「兩個掃雪的人」中一段：

……一面儘掃，一面儘下：

掃淨了東邊，又下滿了西邊：

掃開了高地，又塡平了窪地。

這是用內部詞句的組織來幫助音節，故讀時不覺得是無韻詩。

內部的組織，——層次，條理，排比，章法，句法，——乃是音節的最重要方法。我的朋友任叔永說，「自然二字也要點研究」。研究並不是叫我們去講究那些「蜂腰」「鶴膝」「合掌」等等玩意兒，乃是要我們研究內部的詞句應該如何組織安排，方才可以發生和諧的自然音節。我且舉康白情君的「送客黃浦」一章（少年中國二）作例。

送客黃浦，

我們都攀着纜，——風吹着我們的衣服，——

站在沒遮闌的船邊樓上。

看看涼月麗空

才顯出淡妝的世界。

我想世界上只有光。

只有花，

只有愛！

我們都談着，——

談到日本二十年來的戲劇，

也談到「日本的光，的花，的愛」的須磨子

我們都相互的看着。
只是睿昌有所思，
他不看着我，
他不看着別的那一個。
這中間充滿了別意，
但我們只是初次相見。

（五）

我這篇隨便的詩談做得太長了，我且略談「新詩的方法」，作一個總結的收場。

有許多人曾問我做新詩的方法，我說，做新詩的方法根本上就是做一切詩的方法：新詩除了「新體的解放」一項之外，別無他種特別的做法。

這話說得太攏統了。聽的人自然又問，那麼做一切的詩的方法究竟是怎樣呢？

我說，詩須要用具體的做法，不可用抽象的說法。凡是好詩。都是具體的：越偏向具體的，越有詩意詩味。凡是好詩，都能使我們腦子裏發生一種——或許多種——明顯逼人的影像。這便是詩的具體性。

李義山詩「歷覽前賢國與家，成由勤儉敗由奢，」這不成詩。爲什麼呢？因爲他用的是幾個抽象的名詞，不能引起什麼明瞭濃麗的影像。

「綠垂紅折筍，風綻雨肥梅」是詩。「芹泥垂燕嘴，蕊粉上蜂鬚」是詩。「四更山吐月，殘夜水明樓」是詩。爲什麼呢？因爲他們都能引起鮮明撲人的影像。

「五月榴花照眼明」是何等具體的寫法！

「雞聲茅店月。人跡板橋霜」是何等具體的寫法！

「枯藤老樹昏鴉，小橋流水人家，古道西風瘦馬，夕陽西下，—斷腸人在天涯！」這首小曲裏有十個影像，連成一串，並作一片蕭瑟的空氣，這是何等具體的寫法！

以上舉的例都是眼睛裏起的影像。還有引起聽官裏的明瞭感覺的。例如上文引的「呢呢兒女語，燈火夜微明，恩寃爾汝來去彈指淚和聲」，是何等具體的寫法！

還有能引起讀者渾身的感覺的。例如姜白石詞，「暝入西山，漸喚我一葉夷猶乘興」。這裏面「四個合口的雙聲字，讀的時候使我們覺得身在小舟裏，在鏡平的湖水上盪來盪去。這是何等具體的寫法！

再進一步說，凡是抽象的材料，格外應該用具

體的寫法。看詩經的伐檀：

坎坎伐檀兮，置之河之干兮，

河水淸且漣猗，—

不稼不穡，胡取禾三百廛兮！

不狩不獵，胡瞻爾庭有縣貆兮！

社會不平等是一個抽象的題目，你看他却用如此具體的寫法。

又如杜甫的石壕吏，寫一天晚上一個遠行客人在一個人家寄宿，偷聽得一個捉差的公人同一個老太婆的談話。寥寥一百二十個字，把那個時代的徵兵制度，戰禍，民生痛苦，種種抽象的材料，都一齊描寫出來了。這時何等具體的寫法！

再看白樂天的新樂府，那幾篇好的—如「折臂翁」「賣炭翁」「上陽宮人」—都是具體的寫法。那幾篇抽象的議論—如「七德舞」「司天臺」

「采詩官」—便不成詩了。

舊詩如此，新詩也如此。

現在報上登的許多新體詩，很多不滿人意的。我仔細研究起來，那些不滿人意詩的犯的都是一個大毛病，—抽象的題目用抽象的寫法。

那些我不認得的詩人做的詩，我不便亂批評。我且舉這個朋友的詩做例。傅斯年君在新潮四號裏做了一篇散文，叫做「一段瘋話」，結尾兩行說道：

我們最當敬從的是瘋子，最當親愛的是孩子。瘋子是我們的老師，孩子是我們的朋友。

我們帶着孩子，跟着瘋子走，走向光明去。

有一個人是北京晨報裏投稿，說傅君最後的十六個字是詩不是文。後來新潮五號裏傅君有一首「前倨後恭」的詩，—一首很長的詩。我看了說，這是文，不是詩。

何以前面的文是詩，後面的詩反是文呢？因為前面那十六個字是具體的寫法，後面的長詩是抽象的題目用抽象的寫法。我且鈔那詩中的一段，就可明白了：

倨也不由他，恭也不由他，！

你還報他。

向你倨，你也不削一塊肉；向你恭，你也不長一塊肉。

況且終竟他要向你變的，理他呢！

這種抽象的議論是不會成為好詩的。

再舉一個例。新青年六卷四號裏面沈尹默君的兩首詩。一首是「赤裸裸」：

人到世間來，本來是赤裸裸，

本來沒污濁，却被衣服重重的裹着，這是為

什麽？難道清白的身不好見人嗎？
那汚濁的，裹着衣服，就算免了恥辱嗎？

他本想用具體的比喻來攻擊那些作僞的禮敎，不料結果還是一篇抽象的議論，故不成爲好詩。還有一首生機：

刮了兩日風，又下了幾陣雪。
山桃雖是開着却凍壞了夾竹桃的葉。
地上的嫩紅芽，更殭了發不出。
人人說天氣這般冷，草木的生機恐怕都被摧折；
誰知道那路旁的細柳條，他們暗地裏却一齊換了顏色！

這種樂觀，是一個狠抽象的題目，他却用最具體的寫法，故是一首好詩。

我們徽州俗話說人自己稱贊自己的是「台裏喝采」。我這篇談新詩裏常引我自己的詩做例，也不知犯了多少次「戲台裏喝采」的毛病！現在且再犯一次，舉我的「老鴉」做一個「抽象的題目用具體的寫法」的例罷：

我大清早起，
站在人家屋角上啞啞的啼。
人家討嫌我，
說我不吉利。！
我不能呢呢喃喃討人家的歡喜！

詩的精神上之革新

劉半農

朋友！我今所說詩的精神上之革新，實在是復舊因時代有古今物質有新舊這個「眞」字却是唯一無二斷斷不隨着時代變化的約翰生論此甚詳，介紹其說如下（約翰生博士 Dr. Samuel Johnson 生於一七○九年歿於一七八四年，爲十八世紀英國文學界中第一人物，性情極僻，行事極奇，我國雜志中已有譯載其本傳者，茲不詳述。氏所著書以「英文字典」English Dictionary「詩人傳」The Lives of English Poets 兩種爲畢生事業中最大之成就，而「拉塞拉司」Rasselas「人類願望之虛幻」Vanity of Huma Wishes「漫游人」The Rambler 諸書亦多爲後世珍重，此段卽從「拉塞拉司」中譯出。書爲寓言體，言「亞比西尼亞Abyssinia有一王子，曰拉塞拉司，居快樂谷 The happyvalley，中谷卽人世「極樂地」Paradise。四面均屬高山，有一秘密之門，可通出入，王子居之久，覺此中初無樂趣，與二從者竊門而逃，欲一探世界中何等人最快樂。卒至遍歷地球，所見所遇，在在均是苦惱。然後與靈返谷，恍然於谷名之適當云。」氏思想極高，文筆以時代之關係，頗覺深奧難讀。本篇所譯，力求平順翔實，要以句句不失原義而止。

「應白克曰，「……我輩無論何往，與人說起做詩，大都以爲這是世間最高的學問，而且將他看得甚重，似乎人之所能供獻於神的，自然界的，便是個詩。然有一事最奇怪，世界不論何國，都說最古的詩，便是最好的詩。推究其故，約有數說。一說爲別種學問，必須從研究中漸漸得來。詩却是天然的贈品，上天將他一下子送給了人類，故先得者獨勝。又一說謂古時詩家，於榛狉蒙昧之世，忽地做了些靈秀婉妙的詩出來，時人驚喜贊嘆，視爲神聖不可幾及。後來信用遺傳，千百年後，仍於人心習慣上，享受當初的榮譽。又一說謂詩以描寫自然與情感爲範圍，而自然與感情，却始終如一，永久不變的。古時詩人，既將自然界中最足動人之事物，及情感界中最有趣味的遭遇，一概描寫淨盡，半些兒沒有留給後人，後人做詩，便只能跟着古人，將同樣的事物，重新抄錄一通，或將腦筋中同樣的印象，翻個花樣布置一下，自已卻造不出什麼。此三說，孰是孰非，且不必管。總而言之，古人做詩能把自然界據爲已有，後人卻只有些技術，古人心中能有充分的魄力與發明力，後人卻只有些飾美力與敷陳力了。

「我甚喜作詩，且極望徽名得與前此至有光榮之諸兄弟（指詩人）並列。波斯及阿剌伯諸名人詩集，我已悉數讀過，又能背誦麥加大回教寺中所藏詩卷。然仔細想來，徒事摹倣，有何用處。天下豈有從摹倣上着力而能成其爲偉人哲士者。於是我愛好之心，立即逼我移其心力於自然與人生兩方面，以自然爲吾僕役，恣吾驅使，而以人生爲吾參證者，俾是非好壞得有一定之依據。自後無論何物，倘非親眼見過，決不妄爲描寫。無論何人，倘其意向與欲望，尚未爲我深悉，我亦決不寫我之情感爲彼之哀樂所動。

「我既立意要作一詩家，遂覺世上一切事物，各各爲我生出一種新鮮意趣來。我心意所注射的地域亦於剎那間拓充百倍。自知無論何事，無論何種知識均萬不可輕輕忽過。我嘗排列諸名山諸沙漠之印像於眼前，而比較其形狀之同異。久於心頭作畫，凡森林中有一株之樹，山谷中有一朵之花，但令曾經見過，即收入幅中。巖石之高頂，宮闕之塔尖，我以籌畫之心思觀察之。小河曲折，細流淙淙，我必循河徐步，以探其趣。夏雲倏起，瀰布天空，我必靜坐仰觀，以窮其變所以然者。深知天下無詩人無用之物也。而且詩人理想尤須有並蓄兼收的力量，事物美滿到極處，或慘怖到極處，在詩人看來，卻是習見。大而至於不可方物，小而至於纖眇，不能目覩，在詩人亦視爲相狎有素，不足爲奇。故自園中之花，森林中之野獸，以至地下之礦藏，天上之星象，無不異類同歸，互相聯結而存儲於詩人，不疲不累。

新詩集附錄

之心棧中因此等意思大有用處能於道德或宗教的真理上增加力量小之亦可於飾美上增進其自然真確之描畫故觀察愈多所知愈富則做詩時愈能錯綜變化其情景使讀者腦此精微高妙之諷辭亦悅誠服於無意中受一絕好之教訓

「因此之故，我於自然界形形色色，無不悉心研習。足跡所至，無一國無一地不以其特有之印像見惠，以益我詩力，而償我行旅之勞。」

拉塞拉司曰，「君游蹤極廣，見聞極博，想天地間必尚有無數事物，未經實地觀察。如我之僻處叢山之中，身既不能外出，耳目所接，悉皆陳舊。欲見所未見，觀察所未觀察而不可得，則如何。」

應白克曰，「詩人之事業，是一般特性的觀察，而非各個的觀察。但能於事物實質上大體之所備具與形態上大體之所表見見着個真相便好。若見了鬱金香花便一株株的數他葉上有幾條紋，見了樹林便一座座的量他影子是方是圓，多長多闊，豈非麻煩無謂。即所做的詩，亦只須從大處落墨，將心中所藏自然界無數印像擇其關係最重而情狀最足動人者一一陳列出來使人人見了心中恍然於宇宙的真際原來如此。至於意識中認爲次一等的事物卻當付諸刪削。然這刪削一事也有做得甚認真也有做得甚隨便這上面就可見出詩人本分究竟誰是留心誰是貪嬾了。

「但是詩人觀察自然，還只下了一半功夫，其又一半，即須嫻習人生現象。凡種種社會種種人物之樂處苦處須精密觀查而估計其實量情感的勢力及其相交相並之結果須設身處地以觀察之人心之變化及其受外界種種影響後所呈之異象與夫因天時及習俗的勢力所生的臨時變化自人人活潑康健的兒童時代起直至其頹唐衰老之日此均須循其必經之軌

一〇八

道窮跡其去來之蹤能如是其詩人之資格猶未盡備必須自能剝奪其時代上及國界上牢不可破之偏見而從抽象的及不變的事理中判一是非尤須不為一時的法律與輿論所羈累而超然高舉與至精無上圓妙無極萬古同一的眞理相接觸如此，則不特不急急以求名且以時人的推譽為可厭只把一生欲得之報酬委之於將來眞理彰明之後於是所做的詩對於自然界是個天人聯絡的譯員對於人類是個靈魂中的立法家他本人也脫離了時代與地方的關係獨立太空之中對於後世一切思想與狀況有控御統轄之權

「雖然，詩人所下苦工，猶未盡也不可不習各種語言不可不習各種科學詩格亦當高尚，偉與思想相配至措詞必如何而後雋妙，音調必如何而後和叶，尤須於實習中，求其練熟」……」

請看

新婦女！

他是一種按月發行兩次的雜誌，

他的主張是：

(1)掃除現社會上一切阻礙新婦女的思想制度風俗；

(2)研究新婦女應當採取的進行方法和應走的途徑；

(3)選擇介紹歐美各國關於婦女的新思潮，做新婦女的考鏡；

(4)切實調查現社會上各種婦女的生活狀況，做改良的預備。

他的出世期九年一月一日(每月一日十五日發行)

代售處　上海亞東圖書館羣益書局時事新報館

定閱處　上海西門外方斜路一八八號陸秋心轉或務本女校轉

價　目　每冊銅子五枚三十冊以上八折郵費每冊半分

遠處郵定如在半年以內可用半分郵代價

中華民國九年一月初版發行
中華民國九年九月再版發行
（每册實銀貳角）

編輯者　新詩社編輯部
上海西門外唐家灣憩園內

發行者　新詩社出版部
上海西門外唐家灣憩園內

印刷者　國光書局
上海東新橋北首吉慶坊內

代售處　羣益書社
亞東圖書館
時事新報館

本社啓事

本社所出底新詩集第一編，蒙同志諸君紛紛購閱，不上幾個月，初版已經賣完；這可見諸君底熱心研究，眞是詩學前途底幸福！自從初版賣完以後，各處多來催促再版，所以本社鄭重的再版一下，——雖是紙價比前增加——吾們爲普及起見，並不加價。

從新詩集第一編出版以來，做新詩的比前愈多，——幾乎全國風從——所以本社此次再審擇各處各同志底佳作，續出第二編，內容比第一集多三分之一，後面幷附錄有韻詩底押韻法。——這是本社根據了國音編纂的。

總之本社底編纂新詩集，完全是希望新詩傳布，使一般反對的一天少一天，把那詩體大大的解放！這一層，也要請讀者諸君注意的！